vente

Curso de español lengua extranjera

Libro del alumno

3

Fernando Marín Arrese
Reyes Morales Gálvez
Mariano del Mazo de Unamuno

edelsa

GRUPO DIDASCALIA, S.A.

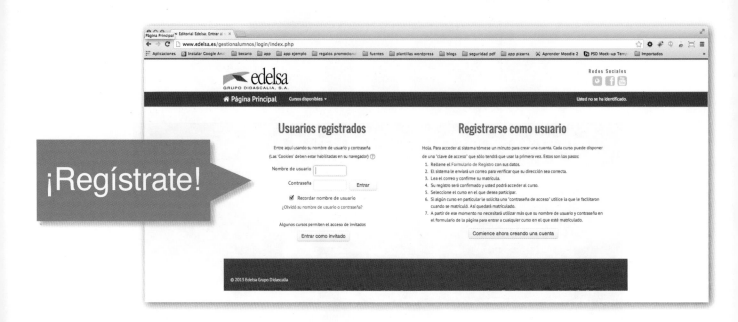

¡Regístrate!

MULTIDISPOSITIVOS

Puedes ver y trabajar
con el libro digitalizado de **vente**
en cualquier soporte.

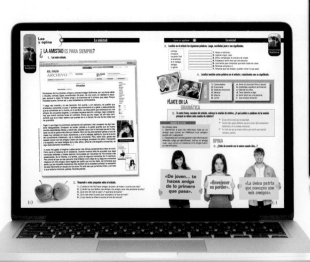
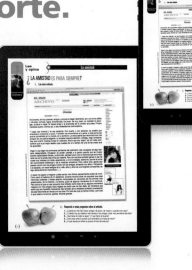

Tu aulavirtual
es una multiplataforma visible en cualquier dispositivo
PC, Mac, tablets Android, iPad y iPhone

ANTES DE EMPEZAR
ESTE NIVEL 3 (B2)

1.

Evalúa tus conocimientos de la gramática del nivel B1.

Ve a

Introduce la clave de acceso que está al abrir este libro y responde a las preguntas del test.

2.

Una vez hecha la prueba, repasa los contenidos con los siguientes ejercicios. Para ello, haz estos 25 ejercicios y consulta los resultados con tu profesor.

También puedes ir a

y hacer estos mismos ejercicios y dispondrás de la corrección automáticamente.

www.edelsa.es>tuaulavirtual

EL ACENTO ESCRITO

1. Escribe el acento en *como, cuando, donde* y *quien* en caso necesario.

a. ¡Cuanto sabe este estudiante!

b. ¿Sigues viviendo donde siempre?

c. ¿Donde vives en Madrid?

d. ¿Preparaste la cena como te dije?

e. ¿Como te gusta el café?

f. ¿Quien te ha llamado esta tarde?

/ 6

SER Y ESTAR

2. Completa con la forma adecuada de los verbos *ser* y *estar*.

a. Madrid .... en el centro de España.

b. La fiesta .... en la cafetería, mañana por la tarde.

c. Normalmente Javier .... muy nervioso e inquieto, pero hoy .... tranquilo y relajado.

d. El pescado hoy .... muy barato, porque hay una oferta.

e. El pescado fresco .... caro.

f. Hoy .... jueves.

g. Jorge .... médico.

h. ¿................. tú en París?

/ 9

3. Subraya la opción correcta.

a. Aparcar en esta calle es/está prohibido.

b. La piscina es/está en la parte de atrás de la casa.

c. Ella es/está muy contenta con su trabajo.

d. La fiesta es/está muy divertida.

e. Afortunadamente, esta casa es/está pagada.

/ 5

LOS VERBOS COMO GUSTAR

4. Forma frases ordenando de manera correcta las siguientes palabras.

a. ellas gustan mucho A los helados de les fresa. ....

b. ellos aburren les A las fiestas nocturnas. ....

c. molestan me los ruidos A mí de los mucho coches. ....

d. nosotros encanta A nos la playa. ....

e. interesan le A él los libros de historia. ....

/ 5

PRONOMBRES PERSONALES

5. Sustituye las palabras marcadas por un pronombre.

a. Llamaré a Juan y a ti cuando termine el proyecto. ....

b. Tengo que comentar a María lo que me has contado. ....

c. Di tú a tus padres lo sucedido. ....

d. ¿A nosotros cuentas el argumento de la película? ....

e. ¿A María has dicho la verdad? ....

f. He aparcado el coche muy lejos. ....

/ 6

Gramática

6. Sustituye las palabras marcadas por *lo, la, los, las, le* o *les.*

a. Señoras, vuelvan a nuestro restaurante cuando deseen, esperamos volver a tener a ustedes aquí con nosotros en otra ocasión. Ha sido un placer conocer a ustedes.

b. – ¿Nos puede cambiar este billete de 200 euros?

– Lo siento, pero no puedo dar a ustedes cambio porque, si no, me quedaría sin suelto para los demás clientes. Si lo prefieren, puedo sugerir a ustedes dónde se lo pueden cambiar.

c. – Don Manuel, va a llegar tarde a la reunión, ¿espero a usted y llevo a usted en mi coche?

– De ninguna manera, no quiero molestar a usted.

d. – ¿Me oyen ustedes bien al fondo?

– Sí, doña Pilar, oímos a usted muy bien, aunque apenas veamos a usted. ¡Cuantísimo público ha acudido a escuchar hoy su conferencia!

/ 9

INDEFINIDOS Y EL APÓCOPE

7. Completa con *algún, alguno/a/os/as, ningún, ninguno/a.*

a. Estas novelas son demasiado románticas, no me gusta ....

b. ¿Conoces .... historia de miedo para contarle a mis amigas por la noche?

c. Pero ¿cómo vienes andando desde tu casa?, ¿es que .... de tus compañeros de piso tiene coche?

d. No me viene bien .... día de la semana para ir al teatro.

e. – ¿Tienes .... libro de enigmas del pasado?

– Bueno, tengo ...., pero no sé si son muy interesantes.

f. .... piensan que las líneas de Nazca son obra de seres extraterrestres.

/ 7

8. Completa con la forma correcta de *bueno, malo, alguno* o *ninguno.*

a. Creo que mañana hará .... tiempo.

b. El precio no es problema. Lo .... es que no es mi talla.

c. Si necesitas un cuaderno, creo que tengo .... por ahí en la estantería.

d. .... de los que estamos aquí queremos jugar a las cartas. Todos preferimos ver una película.

e. No he visto a .... policía en el barrio hoy.

f. .... día me agradecerás todo lo que estoy haciendo por ti.

/ 6

COMPARATIVOS Y SUPERLATIVOS

9. Elige la opción correcta en las frases siguientes.

a. Yo gano .... mi hermano, pero en cambio gasto .... él.

1. la media que... más de   2. la mitad que... más que   3. el medio de... menos que

b. Álvaro es .... jugador del equipo.

1. el más bueno   2. mejor   3. el mejor

c. Es guapo, pero tiene un .... gusto para vestir.

1. pésimo   2. óptimo   3. peor

d. Tengo .... 200 amigos en mi red social, y solo hace un mes que publiqué mi perfil.

   1. menos que   2. más que   3. más de

e. El examen no fue difícil, ¡fue ....! Nadie pudo contestar a todas las preguntas.

   1. dificilísimo   2. más difícil   3. pésimo

f. ¿Solo media hora para terminar el trabajo? ¡Pero si eso es .... tiempo!

   1. menos   2. poquísimo   3. más que poco   / 6

INTERROGATIVOS, EXCLAMATIVOS Y RELATIVOS

10. Subraya la opción correcta.

a. ¿Cuál/Qué es tu contraseña del correo electrónico?

b. El arte románico es lo que/el que más me gusta de Castilla.

c. Ya sé que el coche está bien de precio, lo/el malo es que consume mucho.

d. ¡Qué/Cómo lejos está la granja!

e. No te imaginas cuál/lo caro que está todo en esta ciudad.

f. ¡Qué cuello tan/como largo tienen las llamas!

g. ¡Qué/Cómo llueve! Me estoy empapando.

h. ¿Cuál/Qué libro estás leyendo ahora?

i. ¿Cuál/Qué es un quetzal exactamente?   / 9

USOS DE LOS TIEMPOS DEL PASADO

11. Completa con los verbos en pretérito perfecto simple o compuesto.

a. Anoche (llegar, nosotros) .... muy tarde a casa.

b. Este año (ir, yo) .... pocas veces al campo.

c. Hoy te (levantarse, tú) .... a las once de la mañana.

d. En 1969, el hombre (viajar) .... a la Luna por primera vez.

e. ¿Qué (pasar) .... el domingo por la noche?

f. Ayer se (caer, él) .... al suelo, pero no le pasó nada.   / 6

12. Subraya la opción adecuada.

Cuando llegué a mi habitación, supe/sabía enseguida lo que pasó/había pasado. Alguien entró/había entrado mientras yo estaba/había estado fuera. ¿Quién fue/había sido? Yo sospechaba de Max. Pasó/Había pasado toda la mañana con él. Varias veces le decía/había dicho que tuve/tenía que volver a mi hotel y él me retuvo/había retenido con excusas diferentes. Primero me dijo/decía que necesitaba/había necesitado mi ayuda para resolver un asunto, pero en realidad fue/era una tontería que él resolvió/resolvía enseguida sin mi ayuda. Luego, me invitó/invitaba a tomar un café, y me llevó/llevaba a una cafetería que estuvo/estaba muy lejos de su oficina, cuando yo sabía/había sabido que él siempre fue/iba a una que hubo/había a la vuelta de la esquina. Entonces yo no daba/había dado importancia a esos detalles, pero en ese momento comprendí/comprendía que todo fue/había sido un truco para mantenerme alejado de mi hotel y poder mandar a algún agente suyo a registrar mis cosas. Pero estuve/estaba seguro de que no encontraba/había encontrado nada. ¿Qué he debido/debía hacer ahora? Lo decidí/decidía enseguida: llamaría a Max y quedaríamos para el día siguiente, pero no le diría nada. «Así es mejor», pensé. «Que crea que no me he dado/di cuenta».

     / 27

Gramática

ORACIONES TEMPORALES

13. **Completa las siguientes frases con *al, cuando* o *mientras*.**

a. .... llegar a Barcelona, nos bajamos del coche.

b. .... llegamos a la frontera, sacamos el pasaporte.

c. Los ladrones entraron en casa .... él dormía.

d. ¿Puedes leer .... escuchas la radio?

e. .... cumplió dieciocho años, empezó a trabajar.

f. .... cumplir los dieciocho, me saqué el carné de conducir.

/ 6

EL FUTURO SIMPLE

14. **Completa con estos verbos en futuro.**

| salir – poder – hacer – tener – durar – haber |

a. El próximo lunes .... una huelga de metro.

b. El profesor .... unos cuarenta años.

c. La película .... casi dos horas.

d. Nosotros no .... llegar hasta las seis.

e. Hoy .... pronto del trabajo, no tengo muchas cosas que hacer.

f. La semana que viene .... mucho frío.

/ 6

IMPERATIVO NEGATIVO

15. **Completa para expresar prohibiciones.**

a. No (venir, vosotros) .... a la fiesta sin corbata.

b. No (subir, usted) .... por el ascensor si hay un fuego.

c. No (decir, tú) .... tantas mentiras, por favor.

d. No (ser, tú) .... tan desconfiado con él.

e. No (hablar, tú) .... tan alto; están estudiando.

f. No (correr, vosotros) .... tanto. Vais a tener un accidente.

/ 6

EL PRESENTE DE SUBJUNTIVO

16. **Completa con los verbos en presente de subjuntivo.**

a. Ojalá (llover) .... pronto para limpiar la contaminación.

b. Puede que ella (venir) .... mañana a la reunión.

c. Tal vez no (haber) .... mucha gente a esta hora en la biblioteca.

d. Es posible que (ir, nosotros) .... al cine este sábado.

e. Ojalá (encontrar, tú) .... trabajo pronto.

f. Tal vez el profesor (saber) .... la solución.

/ 6

USOS DE LOS DISTINTOS TIEMPOS VERBALES

17. Completa con los verbos en el tiempo y forma adecuados.

a. Yo en tu lugar (tener) .... mucho cuidado al comprar una cámara de segunda mano.

b. Si (querer) .... que te (mandar, nosotros) .... una muestra gratis, rellena este cupón con tus datos.

c. Cuando (tener, tú) .... tiempo, ¿(poder) .... echar un vistazo a mi ordenador, por favor? Hace cosas muy raras.

d. Cuando (venir) .... mi primo a visitarnos, siempre vamos a tomar tapas a la plaza Mayor.

e. Ayer (ver, nosotros) .... a Luis. (Estar) .... muy delgado. Nos (decir) .... que (ir) .... al gimnasio todos los días.

f. Yo antes (comer) .... mucha carne, pero hace un año me (poner) .... enfermo y un médico me (recomendar) .... una dieta. Desde entonces (comer) .... más pescado que carne.

g. Si me suben el sueldo, me (comprar) .... una moto.

/ 15

18. Forma frases con el verbo en la forma correcta y añadiendo *que* si hace falta.

a. ¿Prefieres / tu hija / (NACER) / en tu país o aquí?
....

b. Daniel / quiere / (QUEDARSE, él) / en casa para ver el partido.
....

c. Está claro / el gusto / (DEPENDER) / del olfato.
....

d. No está bien / (QUERER, tú) / ser siempre el centro de atención.
....

e. Es intolerable / los vecinos / (HACER) / tanto ruido por las noches.
....

f. Raúl cree / (DAR-le, ellos) / un ascenso dentro de poco.
....

g. No es verdad / (CONOCER, tú) / a Shakira personalmente. No me lo creo.
....

h. No creo / (SER) / buena idea / ir en coche con la niebla que hace.
....

/ 8

19. Completa los diálogos con el verbo en la forma adecuada de indicativo o subjuntivo.

a. – ¿No te (parecer) .... que este pescado (oler) .... mal?

– A mí no me (parecer) .... que (oler) .... a podrido, pero sí es verdad que (oler) .... muy fuerte.

b. – Pedro, quiero que (oír, tú) .... esta canción que he compuesto y me digas cómo (sonar) ....

– Vale, pero no creo que (sonar) .... nada mal sabiendo lo buen guitarrista que eres.

c. – ¿No te (parecer) .... raro el olor del ambientador de la casa de Elena?

– Es que a ella no le gusta que los perfumes del hogar (oler) .... a limpio, prefiere que (tener) .... un olor a incienso o a madera.

d. – Me gusta mucho tu nuevo perfume. Es intenso, pero fresco.

– ¿Sí? ¿Tú crees? Pues tal vez te lo (parecer) .... a ti, pero a mí me (parecer) .... ligero y con poca fijación.

/ 13

Gramática

ESTILO INDIRECTO

20. **Observa el diálogo y reproduce la conversación.**

Guillermo: Sandra, ¿cómo te ha ido en la entrevista de trabajo?
Sandra: Bien. Creo que me van a dar el trabajo.
Guillermo: ¡Estupendo! ¿Cuándo te lo dicen?
Sandra: Seguramente mañana. Te llamaré en cuanto sepa algo. ¡Ah!, no les cuentes nada a los amigos todavía, ¿eh?
Guillermo: No, no les contaré nada, te lo prometo.

Ayer Guillermo llamó a Sandra y le preguntó ....
Sandra le respondió que bien y que ....
Guillermo se puso muy contento y le preguntó .... y Sandra le contestó que seguramente hoy
y le dijo que .... nada más saberlo.
Mejor no digas nada de esto a nadie todavía, porque Sandra le ha pedido a Guillermo que no ....
a los amigos, y él le ha prometido que ....
Yo me he enterado porque, sin querer, oí su conversación.

/ 6

AUNQUE, PARA, PARA QUE

21. **Completa con *aunque, para* o *para que*.**

a. Tenemos que estar en el cine a las cinco .... sacar las entradas.
b. Podemos servirles el desayuno en la habitación, ... hay menos platos que en el bufé.
c. Te he comprado unos auriculares .... puedas escuchar música sin molestar a nadie.
d. Hay un camino más corto, ... no te lo recomiendo, porque es peligroso.
e. .... llamar al extranjero, hay que marcar el 00 delante del número.
f. Dime tu dirección, ... pueda escribirte correos.
g. .... estaba muy oscuro, pudimos encontrar la lentilla que había perdido.

/ 7

USOS DEL GERUNDIO

22. **Escribe frases con el mismo significado, pero utilizando las palabras dadas.**

a. Empecé a trabajar en esta empresa hace cuatro años. (LLEVO)
....

b. Este es el cupón de la oferta. Si lo envías a la empresa, te regalan un lote de productos. (ENVIANDO)
....

c. Para ir al Departamento de Español tienes que subir las escaleras a mano derecha. (SUBIENDO)
El Departamento de Español ....

d. El bote se abre cuando giras la tapa. (GIRANDO)
....

e. Hemos esperado cuatro horas. (ESPERANDO)
....

f. No había terminado de ducharme cuando sonó el teléfono. (DUCHANDO)

/ 6

PREPOSICIONES

23. Completa las frases con las siguientes preposiciones: *a, con, de, en, para* y *por.*

a. Llamé a Fernando .... teléfono .... contarle el problema que había tenido .... la mañana.

b. Su madre es muy deportista. Participa .... todos los torneos de tenis .... mayores de cuarenta años.

c. A mí me gusta hablar mucho .... mi familia cuando estoy fuera. Soy muy sentimental y me acuerdo a menudo .... ellos.

d. Por fin me he decidido .... terminar mis estudios de piano. Voy al conservatorio .... las tardes. Tal vez me anime después .... aprender otro instrumento.

e. Estuve regateando en ese puesto del mercadillo y, al final, me compré el bolso .... 27 euros, y .... ser extranjera no lo hice nada mal.

f. Han quedado .... sus nietos .... comer el sábado juntos y disfrutar .... ellos un rato.

/ 15

24. Subraya la preposición correcta.

a. Hay ocho kilómetros desde/a mi casa para/hasta la universidad, por eso voy por/en autobús.

b. El abono de transporte de 10 viajes está de/a 14,5 euros. Cómpralo si vas a pasar unos días en la ciudad.

c. *El tiempo entre costuras* es una novela para/de María Dueñas.

d. Siempre viajamos a Honduras para/en verano para/por practicar español.

e. El teléfono móvil está por/en el bolsillo exterior de/desde la maleta.

f. Alfonso, ve al/para el mercado y compra dos botellas de/en aceite.

/ 11

VERBOS REFLEXIVOS Y RECÍPROCOS

25. Completa las frases con uno de estos verbos en el tiempo y forma adecuados: *verse, enfadarse, encontrarse, mirarse, decirse, hablarse.*

a. Mis vecinos del 3.º B y 3.º C no .... Un día, hace años, discutieron y no han vuelto a intercambiar ni un saludo cuando se cruzan en el ascensor.

b. Hace como un mes que mis amigos y yo no .... Ellos se pasan todo el día en el gimnasio y yo trabajando como una idiota.

c. Sandra, ¿.. con Pablo porque no te invitó a su fiesta de cumpleaños?

d. Cuando el otro día mi hermana dijo que por fin había aprobado el examen de conducir, mi madre y yo .... y nos echamos a reír. Se había presentado cuatro veces.

e. Durante la pelea los dos chicos .... cosas muy desagradables y que seguro luego se arrepintieron.

f. Mis compañeros del instituto y yo .... a menudo por casualidad en el supermercado del barrio, como vivimos tan cerca.

/ 6

EVALÚATE

Total _____ **/ 212**

1 CÓMPLICES DE TU VIDA

• Feria de Abril - Sevilla, España

EXTENSIÓN CULTURAL

Amplía tus conocimientos en www.edelsa.es ➤

aulavirtual
amplía tus conocimientos on-line

Competencia pragmática	**Competencia** lingüística: gramática	**Competencia** lingüística: léxico	**Competencia** sociolingüística
▶ hablar de la amistad	▶ los verbos *ser* y *estar*	▶ los adjetivos de carácter	▶ el concepto de *conocido, amigo, amigo íntimo* y *pariente*
▶ expresar sentimientos y reacciones	▶ los pronombres relativos	▶ los nombres de las relaciones entre personas	▶ la verdadera amistad
▶ describir el carácter y los estados de ánimo	▶ frases relativas con indicativo y con subjuntivo	▶ las expresiones de los estados de ánimo	▶ las edades del ser humano

¿ QUÉ ASOCIAS CON LA PALABRA *AMIGO*?

Escribe 10 palabras relacionadas con la palabra *amigo*. Luego, compártelas con tus compañeros.

Pau Gasol y Rafa Nadal, deportistas y amigos íntimos

Pedro Almodóvar y Penélope Cruz, una amistad de cine

Beyoncé y Hayek, amigas y famosas

¿ LA AMISTAD ES PARA SIEMPRE?

1. Lee este artículo.

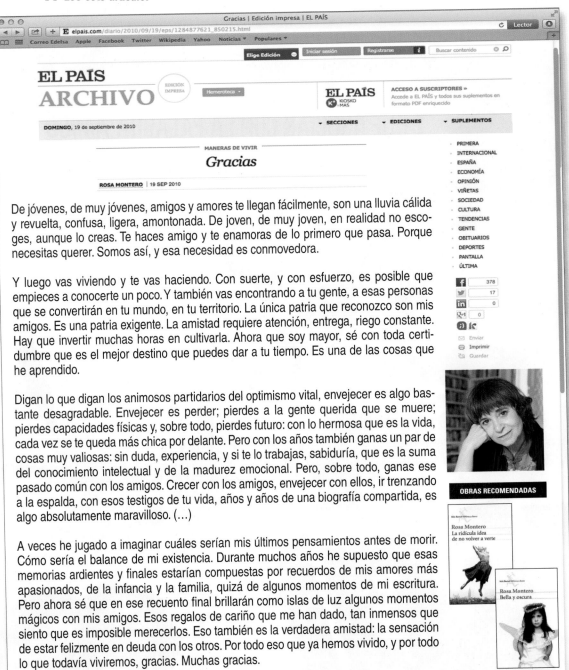

EL PAÍS ARCHIVO

MANERAS DE VIVIR

Gracias

ROSA MONTERO | 19 SEP 2010

De jóvenes, de muy jóvenes, amigos y amores te llegan fácilmente, son una lluvia cálida y revuelta, confusa, ligera, amontonada. De joven, de muy joven, en realidad no escoges, aunque lo creas. Te haces amigo y te enamoras de lo primero que pasa. Porque necesitas querer. Somos así, y esa necesidad es conmovedora.

Y luego vas viviendo y te vas haciendo. Con suerte, y con esfuerzo, es posible que empieces a conocerte un poco. Y también vas encontrando a tu gente, a esas personas que se convertirán en tu mundo, en tu territorio. La única patria que reconozco son mis amigos. Es una patria exigente. La amistad requiere atención, entrega, riego constante. Hay que invertir muchas horas en cultivarla. Ahora que soy mayor, sé con toda certidumbre que es el mejor destino que puedes dar a tu tiempo. Es una de las cosas que he aprendido.

Digan lo que digan los animosos partidarios del optimismo vital, envejecer es algo bastante desagradable. Envejecer es perder; pierdes a la gente querida que se muere; pierdes capacidades físicas y, sobre todo, pierdes futuro: con lo hermosa que es la vida, cada vez se te queda más chica por delante. Pero con los años también ganas un par de cosas muy valiosas: sin duda, experiencia, y si te lo trabajas, sabiduría, que es la suma del conocimiento intelectual y de la madurez emocional. Pero, sobre todo, ganas ese pasado común con los amigos. Crecer con los amigos, envejecer con ellos, ir trenzando a la espalda, con esos testigos de tu vida, años y años de una biografía compartida, es algo absolutamente maravilloso. (…)

A veces he jugado a imaginar cuáles serían mis últimos pensamientos antes de morir. Cómo sería el balance de mi existencia. Durante muchos años he supuesto que esas memorias ardientes y finales estarían compuestas por recuerdos de mis amores más apasionados, de la infancia y la familia, quizá de algunos momentos de mi escritura. Pero ahora sé que en ese recuento final brillarán como islas de luz algunos momentos mágicos con mis amigos. Esos regalos de cariño que me han dado, tan inmensos que siento que es imposible merecerlos. Eso también es la verdadera amistad: la sensación de estar felizmente en deuda con los otros. Por todo eso que ya hemos vivido, y por todo lo que todavía viviremos, gracias. Muchas gracias.

OBRAS RECOMENDADAS

Rosa Montero
La ridícula idea de no volver a verte

Rosa Montero
Bella y oscura

Extracto de www.rosa-montero.com, http://elpais.com/diario/2010/09/19/eps/1284877621_850215.html

2. Responde a estas preguntas sobre el artículo.

1. ¿Cuándo es más fácil hacer amigos: de joven, de mayor o cuando eres viejo?
2. ¿Cuándo hay que dedicar más tiempo a los amigos, estar más pendiente de ellos?
3. ¿Qué tiene de malo la vejez? ¿Y qué tiene de bueno?
4. ¿Qué creía antes la autora que recordaría a la hora de morir?
5. ¿A qué deuda se refiere la autora al final del artículo?

Comprensión **lectora**

3. Localiza en el artículo las siguientes palabras. Luego, escríbelas junto a sus significados.

| confusa |
| envejecer |
| recuento final |
| te enamoras |
| te lo trabajas |
| testigos |
| tu gente |

1. Haces un esfuerzo.
2. Hacerse mayor, viejo.
3. Difícil, complicada, lo contrario de *simple*.
4. Empiezas a sentir amor por otra persona.
5. Lista hecha para comprobar que están todas las cosas.
6. Personas cercanas a ti.
7. Personas que han estado y pueden contar lo que pasó.

4. Localiza también estas palabras en el artículo y relaciónalas con su significado.

RELACIONA

1. Conmovedora
2. Enamorarse
3. Madurez emocional
4. Merecer
5. Infancia
6. Cariño

a. Amor sin atracción física o sexual.
b. Estabilidad, equilibrio sentimental.
c. Edad de los niños.
d. Tener derecho a algo.
e. Sentir amor por una persona.
f. Que produce emoción.

FÍJATE EN LA GRAMÁTICA

5. En estas frases, sacadas del artículo, subraya la oración de relativo. ¿A qué palabra o palabras de la oración principal se refiere cada oración de relativo?

- Es una de las cosas que he aprendido.
- Con los años ganas sabiduría, que es la suma del conocimiento intelectual y de la madurez emocional.
- Por todo eso que ya hemos vivido y por todo lo que todavía viviremos, gracias.

ORACIONES DE RELATIVO

Se utilizan para:
1. Identificar a qué nos referimos: *Este es un amigo que conocí en Mallorca* («un amigo» puede ser cualquiera).
2. (Separada por comas) aportar más información referida a algo ya identificado: *Este es mi amigo Juan, que conocí en Mallorca* («mi amigo Juan» ya identificado).

OPINA

6. ¿Estás de acuerdo con la autora cuando dice...?

«**De joven... te haces amigo de lo primero que pasa**».

«**Envejecer es perder**».

«**La única patria que conozco son mis amigos**».

▶ **PREPÁRATE**

¿QUÉ ES LA FELICIDAD?

1. Observa esta cita. ¿Estás de acuerdo con ella? ¿Por qué?

«La primera causa de la felicidad son las relaciones personales».

Eduardo Punset
(escritor y divulgador científico)

2. Numera estas relaciones de más a menos importancia en tu vida. Explica los motivos.

- ☐ amigos íntimos
- ☐ conocidos
- ☐ compañeros de trabajo o de estudios
- ☐ familiares
- ☐ vecinos
- ☐ hermanos
- ☐ pareja (cónyuge o novio)

PARA AYUDARTE

- No tengo hermanos, soy hijo único, por eso...
- Somos muchos hermanos, tengo una familia numerosa.
- No me llevo bien con…, no tenemos una buena relación.

3. Define qué son las relaciones personales. Para ello, responde a estas preguntas.

- ¿Cuántos buenos amigos tienes? ¿En cuántos confías?
- ¿Te consideras un buen amigo de tus amigos? ¿Por qué?
- ¿Qué haces para mantener la amistad?

▶ **COMPRENDE**

CONSEJOS PARA MEJORAR TUS RELACIONES

PISTA 🎧¹   Actividad interactiva de audio descargable en   tuaulavirtual

tuaulavirtual

Consejos

4. Toma nota de los consejos. ¿Cuántas de estas actividades realizas?

5. Según lo que has escuchado, relaciona las dos partes de los consejos.

RELACIONA

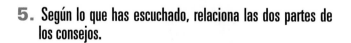

1. No tengas vergüenza de…
2. Es imprescindible…
3. Si estás cómodo con tus amigos, …
4. Dedica parte de tu tiempo libre…
5. Sé detallista…
6. Si tus amigos están tristes o están contentos, …

a. a actividades comunes. Estar implicado en algún proyecto fortalece las relaciones.
b. expresar lo que sientes por tus amigos y, si tienen buen corazón, díselo.
c. debes estar receptivo y mostrar interés por los motivos.
d. organiza actividades para charlar con ellos.
e. tener confianza en ellos y ser sincero.
f. y hazles pequeños regalos de vez en cuando.

Comprensión auditiva

6. Marca la opción correcta.

1. «No tener vergüenza» es sinónimo de...
- ☐ **a.** no tener inconvenientes.
- ☐ **b.** no tener gracia.

2. «Tener buen corazón» significa...
- ☐ **a.** tener un corazón sano.
- ☐ **b.** ser una persona de buenos sentimientos.

3. «Estar implicado en algún proyecto» quiere decir...
- ☐ **a.** hacer juntos algo.
- ☐ **b.** estar despedido.

4. «Estar receptivo» es...
- ☐ **a.** escuchar a los demás.
- ☐ **b.** respetar a los demás.

▶ **REFLEXIONA Y PRACTICA**

¿SER O ESTAR?

7. Busca estos adjetivos en el ejercicio 5 y escribe con qué verbo van.

- ☐ cómodo
- ☐ detallista
- ☐ implicado
- ☐ imprescindible
- ☐ receptivo
- ☐ sincero

8. Completa la regla con: esenciales - estados - carácter.

USO DE *SER* Y DE *ESTAR*

1. Se utiliza el verbo **ser** con adjetivos para expresar el .... o características .... propias de lo que se describe.

2. Se utiliza el verbo **estar** con adjetivos para describir ....

9. Completa con *ser* o *estar* en la forma correcta.

1. No me gusta esta serie de televisión. .... aburrida.
2. Carlos .... un chico muy inteligente y listo.
3. Nosotros .... muy contentos de estar aquí hoy.
4. Me gusta Lucía como compañera de trabajo, porque .... muy trabajadora y seria.
5. Voy a ir a ver a Carlos, que .... enfermo, por eso no ha venido hoy a trabajar.
6. Si vosotros .... sinceros entre vosotros, seréis siempre buenos amigos.
7. Mi hermano .... estudiante, pero durante las vacaciones .... de repartidor en una pizzería.
8. No sé qué le pasa. Normalmente .... muy educado, pero hoy .... de lo más antipático.

▶ **DEBATE**

¿SABES SER BUEN AMIGO DE TUS AMIGOS?

PARA AYUDARTE

- Un buen amigo es alguien que…
- Si quieres mantener la amistad, + *imperativo.*

10. Escribe cinco consejos para ser un buen amigo. Debate con tus compañeros para decidir cuáles son más acertados.

1. _____
2. _____
3. _____
4. _____
5. _____

Gramática

ESPECIFICATIVAS Y EXPLICATIVAS

Las oraciones relativas sirven para dar más información sobre una persona, un animal, un objeto o un lugar. Se usan para:
- aclarar (especificar) de quién o de qué se habla.
  Un amigo que trabaja en una floristería me trae flores casi todos los días; otro me regala bombones.
- dar más información (explicar). En este caso van separadas por comas en la lengua escrita o marcadas por una pausa, en la lengua oral.
  Mi marido, que trabaja en una floristería, me trae flores casi todos los días.

---

1. **En las oraciones siguientes, pon comas donde haga falta y léelas en voz alta.**

- **a.** Tengo un primo que trabaja en una tienda de ropa.
- **b.** Mi primo Carlos que trabaja en una tienda de ropa me consigue trajes con descuento.
- **c.** De todos los profesores el que más me gusta es Ignacio.
- **d.** Tú que sabes tanto español podrías ayudarme con este ejercicio.
- **e.** Hay pocas personas que puedas considerar amigos de verdad.
- **f.** He invitado a tu novio que estaba solo en la ciudad a mi fiesta, como tú querías.

| / 6 |

PRONOMBRES RELATIVOS

1. El pronombre relativo más usual es *que*.
2. *El/la/los/las que* se usan cuando no hay un antecedente expreso:
- bien porque no nos referimos a nadie en concreto.
  Los que estén interesados pueden pasar por la oficina (= cualquier persona que esté interesada).
- o porque no lo decimos para no repetirlo.
  • *¿Qué coche te gusta más?*
  • *El que vimos ayer* (= El coche que…).
- o cuando van después de preposición.
  Vosotros, con los que estudié español, habláis muy bien.
3. En los mismos contextos que antes, podemos usar también *quien/quienes* para personas:
   Estas botellas de agua son para quienes han participado en la carrera (= para los que han…).
4. Para referirse a algo de forma general o no específica, a menudo se usa *hay* + antecedente + *que* o *hay* + *quien*.
   Hay cosas que no se pueden creer (= Algunas cosas no se pueden creer).
   Hay quien nunca está contenta (= Algunas personas nunca están contentas).

---

2. **Completa las frases con las partes del recuadro.**

| donde – Hay – la que – Los que queráis – Quienes no – que |

- **a.** .... bocadillos levantad la mano.
- **b.** De todas las novelas que he leído, ... más me gusta es *Rayuela*, de Cortázar.
- **c.** .... tengan pareja no pueden participar en el concurso de baile.
- **d.** Susana es una persona generosa .... se preocupa por los amigos.
- **e.** .... cosas que solo un amigo te puede decir.
- **f.** Yo nací en esa casa de allí, ... ahora hay un supermercado.

| / 6 |

3. Subraya la opción correcta.

a. El chico a que/al que he saludado es amigo de mi hermano.

b. Que/Quien llegue primero podrá elegir asiento.

c. Este es el cantante de que/quien todos hablan.

d. Ese boli con el que/quien estás escribiendo es mío.

e. Los que/quienes lleguen tarde no podrán entrar.

f. Hay que/quien cree que los dinosaurios no han existido.

/ 6

ORACIONES RELATIVAS

1. Se usa el indicativo cuando nos referimos a un antecedente concreto, conocido.

2. Se usa el subjuntivo con un antecedente no conocido, de forma genérica.

Mi novio es el que tiene un sombrero en la mano (un chico determinado).

Quiero un novio que tenga tiempo para mí (no se trata de un novio determinado, no se sabe quién es).

4. Completa las frases con un verbo en indicativo o subjuntivo.

a. Quiero encontrar a alguien que .... interesado en viajar y estudiar idiomas.

b. En el correo que te .... ayer, te decía que no podía quedar hoy, pero mañana sí puedo.

c. ¿Es que no hay aquí nadie que .... venir al cine conmigo?

d. La gente que .... una pareja por Internet debe tener cuidado con la información que da.

e. El que no .... todavía una bebida que levante la mano.

f. ¿En la facultad no tienes ningún amigo que .... de tu mismo curso?

/ 6

SER Y ESTAR

1. Algunos adjetivos tienen significados distintos según van seguidos de *ser* o de *estar*:

	SER...	ESTAR...
abierto	sociable, amistoso	no cerrado
aburrido	aburrir a los demás	sentir aburrimiento
cerrado	no sociable, tímido, reservado	no abierto
despierto	listo, inteligente	no estar dormido/a
entretenido	entretener, divertir a los demás	no estar aburrido, estar ocupado
listo	inteligente	preparado
malo	no bueno, tener mala intención	enfermo/a
maduro	tener madurez, no infantil	no verde, en su punto
rico	tener mucho dinero	sabroso, tener buen sabor
seguro	no peligroso	protegido
verde	tener ese color	inmaduro

2. Además, muchos adjetivos detrás de *ser* indican una característica esencial, mientras que detrás de *estar* indican un estado:

Es una persona muy limpia, tiene buenos hábitos higiénicos.

La mesa está limpia. Acabo de limpiarla.

Este edificio es muy alto. Tiene dieciocho pisos.

Ese cuadro está demasiado alto. Hay que bajarlo un poco.

5. Completa con *ser* o *estar* en la forma correcta.

a. • ¿Qué te pasa, ... aburrida?

   • Sí, es que esta conferencia .... muy aburrida.

b. Carlos .... un chico muy despierto.

c. No tenemos nada que hacer, pero con la tele .... entretenidos.

d. Lucía .... mala y no va a ir a trabajar hoy.

e. Estas manzanas no .... maduras, todavía .... verdes.

f. Si vosotros .... listos, podemos salir ya.

g. La fiesta es el quince y .... a día doce, así que quedan tres días.

/ 9

Léxico

¿CÓMO SERÍA TU PAREJA IDEAL?
¿Y TU AMIGO IDEAL?

«Quien encuentra un amigo encuentra un tesoro».

Dicho popular

1. Clasifica estos adjetivos según indiquen, desde tu punto de vista, cualidades positivas o negativas.

➕	➖	
		ambicioso
		apasionado
		callado
		constante
		curioso
		discreto
		orgulloso
		generoso
		perfeccionista
		puntual
		responsable
		sensible
		justo
		serio
		sincero
		solidario
		susceptible
		tierno
		tímido

2. Describe, como en el ejemplo, las cualidades que esperas encontrar en un amigo de verdad.

Ejemplo: Lo que busco en un amigo es apoyo, confianza y lealtad. Que sea sincero, cariñoso y fiel. Y que esté a gusto conmigo.
Busco esa amiga que sea como mi hermana mayor.
Necesito amigos que me quieran de verdad. Que sean leales, que me apoyen y en quien pueda confiar.

CUALIDADES

afectuoso, agresivo, amable, apasionado, autoritario, bondadoso, celoso, cobarde, desagradable, deshonesto, despistado, dócil, egoísta, entregado, envidioso, falso, fiel, hipócrita, honesto, honrado, impaciente, infiel, intolerante, irrespetuoso, maravilloso, natural, noble, optimista, orgulloso, pesado, pesimista, posesivo, respetuoso, servicial, sincero, testarudo, tierno…

Describe

RELACIONES ENTRE PERSONAS

3. Completa con una palabra o expresión de las siguientes.

• cónyuge • divorcio • familia política • lo civil • nuclear • reconstituidas • único • uniones de hecho

Hace muchos años, el Parlamento aprobó de nuevo el .... [1] . Atrás quedaban los tiempos del .... [2] para toda la vida. Desde entonces, más de 1,2 millones de matrimonios se han disuelto y la familia se ha convertido en las familias: .... [3], hogares monoparentales, familias .... [4] (nuevas uniones tras las rupturas), formadas por personas del mismo sexo (alcanzaron su derecho al matrimonio en 2005), etc. En España no se considera solo familia a la familia .... [5] (formada por los padres y los hijos), sino también a la familia extendida, en la que están los tíos, los abuelos, los primos, etc.

A una persona le podemos preguntar: ¿Tienes hermanos o eres hijo .... [6]? ¿Eres tío o tía, es decir, tienes sobrinos? ¿Tus abuelos aún viven? ¿Y tus padres? ¿Están casados, divorciados, separados...? ¿Tienes mucho contacto con tus primos y tíos? ¿Estás casado? Si es así, ¿te casaste por .... [7] o por la Iglesia? ¿Tienes pareja de hecho, estás soltero...? ¿Tienes .... [8]? ¿Suegros, nueras, yernos, cuñados?

Texto adaptado de http://www.authorstream.com/Presentation/...

Léxico

ESTADOS DE ÁNIMO

4. Imagina situaciones en las que sientas los siguientes estados de ánimo.

- (des)animado
- contento
- fascinado
- feliz
- (des)ilusionado
- satisfecho
- sorprendido
- agobiado
- apenado
- avergonzado
- disgustado
- dolido
- indignado
- resignado
- sin ánimo

RELACIONES
CON OTRAS PERSONAS

5. Elige de cada punto una expresión y escribe una frase, como en el ejemplo.

- conducta/comportamiento ~ prudente/discriminatorio
- habilidad, cuidado, imprudencia
- hablar ~ bien/mal ~ de alguien
- mostrar/tener ~ una actitud/un comportamiento ~ adecuado/injusto
- comportarse ~ bien/mal/fatal
- dar/mostrar ~ apoyo/amistad/cariño/comprensión

Ejemplo: Un comportamiento discriminatorio es rechazar a alguien por sus creencias.

VERBOS CON PREPOSICIÓN

1. Algunos verbos van seguidos normalmente de la misma preposición: *enamorarse de, discutir con, depender de.*
2. Pero a veces está sobreentendido (*se ha enamorado*) o alguno puede llevar más de una preposición (*discutir de política, fútbol, dinero con alguien*).

VERBOS
DE RELACIÓN

6. Completa con los verbos *enamorarse, discutir* y *depender*, en su forma correcta y la preposición adecuada.

1. Alberto .... su novia. Ya no se hablan.
2. Quiero ser libre y no .... nadie.
3. No .... alguien que no te quiere, porque lo pasarás mal si lo haces.
4. No siempre es bueno decir la verdad. .... cómo es esa verdad: agradable o desagradable.
5. Fernando y tú sois buenos amigos. No quiero que .... él.
6. Nos pasamos la vida .... otras personas, pero siempre nos querremos a nosotros mismos más que a los demás.

Expresión oral

PREPÁRATE

1. Escucha esta entrevista sobre cómo evoluciona la amistad y contesta a las preguntas.

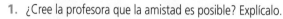

PISTA 🎧²

| Actividad interactiva de audio descargable en | tuaulavirtual |

1. ¿Cree la profesora que la amistad es posible? Explícalo.
2. ¿Qué pasa cuando los amigos ya no tienen nada en común?, ¿qué dice de los «amigos del alma»?
3. Según ella, ¿un hombre y una mujer pueden ser solamente amigos?
4. ¿Qué hay que hacer cuando la amistad se acaba?

«Conflictos, discusiones, malentendidos... A veces cuesta creer que la amistad verdadera existe. Quizá el secreto está en respetar que cada uno sea como es».

2. Lee este foro sobre la amistad verdadera y duradera. Después, redacta tu participación en él.

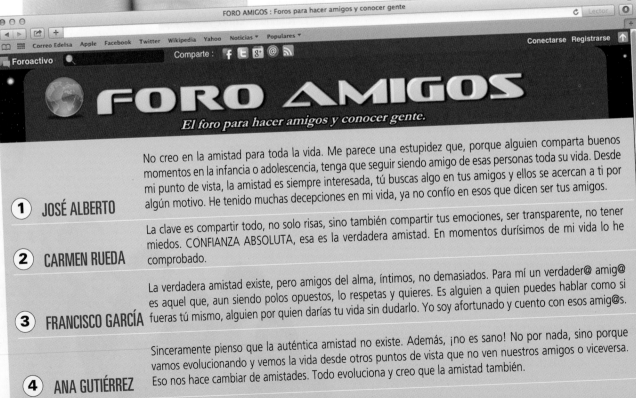

FORO AMIGOS : Foros para hacer amigos y conocer gente

Correo Edelsa   Apple   Facebook   Twitter   Wikipedia   Yahoo   Noticias ▾   Populares ▾   Conectarse   Registrarse

Foroactivo   Comparte : f t g+ @ ℝ

FORO AMIGOS
El foro para hacer amigos y conocer gente.

(1) JOSÉ ALBERTO
No creo en la amistad para toda la vida. Me parece una estupidez que, porque alguien comparta buenos momentos en la infancia o adolescencia, tenga que seguir siendo amigo de esas personas toda su vida. Desde mi punto de vista, la amistad es siempre interesada, tú buscas algo en tus amigos y ellos se acercan a ti por algún motivo. He tenido muchas decepciones en mi vida, ya no confío en esos que dicen ser tus amigos.

(2) CARMEN RUEDA
La clave es compartir todo, no solo risas, sino también compartir tus emociones, ser transparente, no tener miedos. CONFIANZA ABSOLUTA, esa es la verdadera amistad. En momentos durísimos de mi vida lo he comprobado.

(3) FRANCISCO GARCÍA
La verdadera amistad existe, pero amigos del alma, íntimos, no demasiados. Para mí un verdader@ amig@ es aquel que, aun siendo polos opuestos, lo respetas y quieres. Es alguien a quien puedes hablar como si fueras tú mismo, alguien por quien darías tu vida sin dudarlo. Yo soy afortunado y cuento con esos amig@s.

(4) ANA GUTIÉRREZ
Sinceramente pienso que la auténtica amistad no existe. Además, ¡no es sano! No por nada, sino porque vamos evolucionando y vemos la vida desde otros puntos de vista que no ven nuestros amigos o viceversa. Eso nos hace cambiar de amistades. Todo evoluciona y creo que la amistad también.

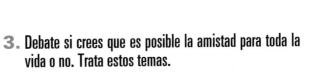

TERTULIA

Expresión oral

3. Debate si crees que es posible la amistad para toda la vida o no. Trata estos temas.

1 ¿Existe la amistad verdadera y duradera?

2 ¿Un hombre y una mujer pueden ser amigos?

3 ¿Es posible la verdadera amistad a través de Internet?

4 ¿La distancia hace el olvido o los verdaderos amigos siempre se recuerdan?

> Los amigos con los que me relaciono normalmente son los mismos que tenía hace años en el colegio. Nos seguimos llevando fenomenal...

> Pues a mí me han decepcionado varios amigos, justo cuando más los necesitaba, desaparecieron. Entonces me di cuenta de que nunca habían sido mis amigos. En cambio, en Internet he encontrado gente que me comprende...

EXPRESIÓN DE LA OPINIÓN

- Desde mi punto de vista, creo que...
- Sinceramente/Francamente/Honradamente, pienso que...
- A mí me parece que...
- Creo que la amistad verdadera existe.
- No creo que la amistad para toda la vida exista.

Expresión escrita

LEE ESTE POEMA E INTERPRÉTALO

Mario Benedetti
Poemas de la oficina
Poemas del hoyporhoy

Seix Barral
Biblioteca Mario Benedetti

Es tan poco

Lo que conoces
es tan poco
lo que conoces
de mí
lo que conoces
son mis nubes
son mis silencios
son mis gestos
lo que conoces
de mí
lo que conoces
es la tristeza
de mi casa vista de afuera
son los postigos de mi tristeza
el llamador de mi tristeza.

Pero no sabes
nada
a lo sumo
piensas a veces
que es tan poco
lo que conozco
lo que conozco
de ti
lo que conozco
o sea tus nubes
o tus silencios
o tus gestos
lo que conozco
es la tristeza
de tu casa vista de afuera
son los postigos de tu tristeza
el llamador de tu tristeza.
Pero no llamas.
Pero no llamo.

(Mario Benedetti)

PARA AYUDARTE

- **Postigo:** puerta de las ventanas.
- **Llamador:** timbre, aparato eléctrico para llamar a una puerta.

1. En este poema, Mario Benedetti intencionadamente no utiliza signos de puntuación. Interpreta el poema y pon los signos que faltan. ¿Por qué crees que no utiliza la puntuación? ¿Qué efecto provoca en el lector el no tenerlos?

2. Haz una lista de las cosas que conocen uno del otro e interpreta qué simboliza cada uno.

3. Escucha al propio autor recitando parte de su poema en http://goo.gl/XCxB5v. Luego, marca el tono que crees que tiene. Justifica tu respuesta.

☐ Alegre ☐ Nostálgico ☐ Triste ☐ Entusiasta

4. En el poema, habla de dos personas. ¿Qué relación crees que existe entre ellas? ¿Por qué?

☐ Desconocidos ☐ Conocidos ☐ Amigos
☐ Amigos íntimos ☐ Pareja sentimental

5. En el poema, habla de lo que conocen uno del otro y el título es «Es tan poco». ¿Por qué es poco lo que uno conoce del otro? ¿Qué crees que quiere transmitir el autor?

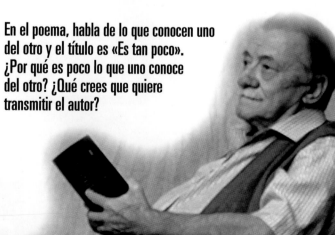

CONOCE AL AUTOR

6. Lee lo que se dice de él y de su obra. ¿Coincide la información con lo que pensabas al leer el poema?

Mario Benedetti

Mario Benedetti es un escritor (novelas, cuentos y obras de teatro) y un poeta uruguayo, autor de más de 80 libros, algunos traducidos a 20 idiomas. Uno de los temas más frecuente es el amor. En palabras del propio autor de *Poemas del hoyporhoy* (en el cual se incluye *Es tan poco*), «el amor es uno de los elementos emblemáticos de la vida. Breve o extendido, espontáneo o minuciosamente construido, es de cualquier manera un apogeo en las relaciones humanas», pero hay una imposibilidad de conocer completamente a la otra persona, por mucho que creamos que lo conocemos, ese conocimiento es poco, nunca podremos saber lo que siente en cada momento, solo podremos conocer sus aspectos más superficiales.

Información extraída de http://www.cervantesvirtual.com/obra-visor/mario-benedetti

Quizá te sorprenda

Mario Benedetti estuvo casado 60 años con Luz López y la muerte de su esposa, en 2006, según confesó, fue un duro golpe que solo sobrellevó escribiendo.

ESCRIBE IMITANDO EL
ESTILO DEL AUTOR

7. Cambia el texto y el tono.

a. Elige un título de los que te damos o inventa uno.

Es tanto
Es demasiado
No es suficiente
Quiero muchísimo más

b. Escribe tu poema manteniendo la estructura del poema de Benedetti y cambiando palabras y expresiones o reescríbelo completamente.

2

CONSUMO
INTELIGENTE

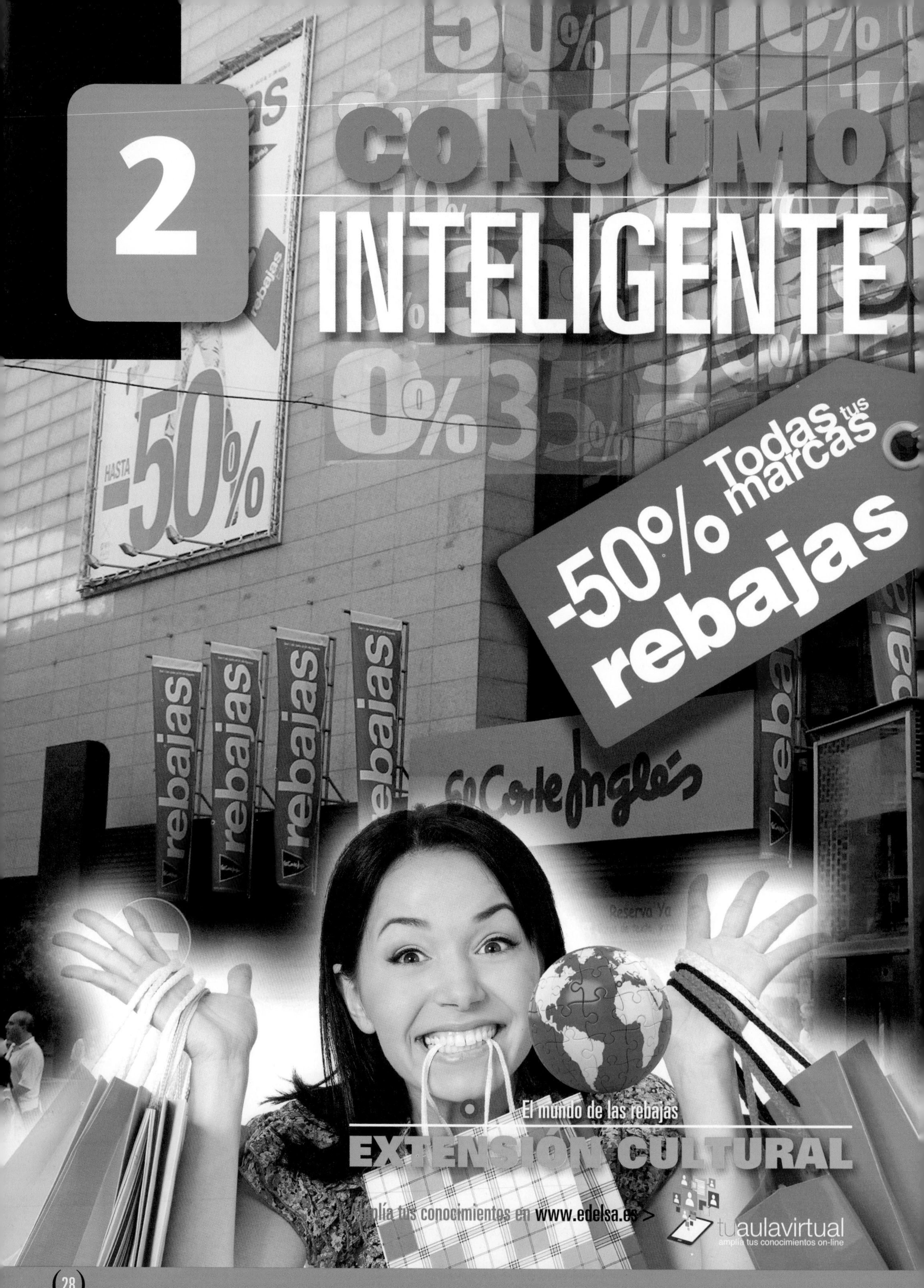

HASTA -50%

0% 35%

Todas tus marcas
-50% rebajas

rebajas

El Corte Inglés

Reserva Ya

El mundo de las rebajas

EXTENSIÓN CULTURAL

Competencia pragmática	Competencia lingüística: gramática	Competencia lingüística: léxico	Competencia sociolingüística
▶ hacer una reclamación ▶ opinar sobre el consumo ▶ debatir sobre las rebajas	▶ las oraciones de opinión y de modo ▶ el perfecto de subjuntivo ▶ las oraciones causales	▶ los artículos de consumo ▶ las expresiones para comprar ▶ el vocabulario para reclamar	▶ tipos de establecimientos ▶ los momentos de las compras ▶ tus obligaciones y derechos como consumidor

DOS PERIODOS SIGNIFICATIVOS EN LAS COMPRAS

Observa los cómics, ¿qué crees que quiere decir el título de cada uno? ¿Existen esos dos momentos también en tu país?

> Ir de compras en los centros comerciales, una actividad de ocio, se necesite o no adquirir un producto.

> Una de las aficiones favoritas de los jóvenes de hoy es mirar escaparates para huir del aburrimiento.

> Lee con detenimiento las etiquetas y los componentes de lo que se consume.

¿Qué actitud o actitudes ante el consumo critican los dos cómics? Las etiquetas de la derecha presentan otras actividades. ¿Cuáles?

rebajas
del 1 de julio al 31 de agosto

Lee y opina

¿ESTAMOS CONSUMIDOS POR EL CONSUMO?

Comprensión lectora

1. Lee el siguiente reportaje y escoge un título para cada párrafo.

b ☐

a ☐ Cuando se compra más de lo que nos permite nuestra economía.

Hay quienes están más indefensos ante los mensajes publicitarios.

c ☐ La compra como actividad de ocio a veces es inconsciente.

Magazine: Consumidos por el consumo

www.elmundo.es/magazine/m17/textos/conocer1.html

Correo Edelsa   Apple   Facebook   Twitter   Wikipedia   Yahoo   Noticias ▾   Populare

Consumidos por el consumo
{ } reportaje

1 La vida actual se ha convertido en un gran hipermercado donde nos incitan a consumir artículos que no necesitamos con la falsa idea de que adquirirlos da la felicidad.

2 *Consumir* quiere decir tanto *adquirir* como *destruir*. En la sociedad de consumo, no solo sentimos cada vez mayor dependencia de nuevos bienes materiales, sino que también se ha creado la necesidad de renovar constantemente, es decir, de tirar para consumir de nuevo.

3 Pero el peligro es la adicción al consumo, donde no es la necesidad, sino el impulso lo que mueve a las personas a gastar sin control.

4 Por un lado, la adicción a ir de compras. Hay quien se habitúa a pasar su tiempo en grandes almacenes o mirando escaparates como fórmula para huir del aburrimiento. Esta tendencia puede estar o no asociada a la compra compulsiva. En segundo lugar, un deseo intenso de adquirir algo que no se precisa y que, una vez adquirido, pierde todo su interés, lo que produce insatisfacción constante.

5 Por último, y asociada a la compra compulsiva, está la adicción al crédito, que impide controlar el gasto de una forma racional. Las tarjetas de pago producen un sobreendeudamiento. La cuesta de enero es un claro ejemplo de este endeudamiento y una consecuencia, a su vez, de que se ha mercantilizado (como casi todo) la Navidad.

6 Para los jóvenes europeos, comprar es una de las actividades más divertidas que ofrece una ciudad. Les gusta entrar en los centros comerciales, sienten un deseo permanente de ir de compras y adquirir cosas nuevas, y su grado de impulsividad en la compra y de falta de autocontrol y responsabilidad económica es muy alto.

7 Esta conducta es previsible, ya que la adolescencia es una etapa de la vida en la que se tienen mayores dificultades para controlar los impulsos, pero ¿abandonarán esa escala de valores con la madurez en una sociedad en la que se confunde el valor con el precio y se desprecia lo que no se comercializa?

Extraído y adaptado de www.elmundo.es/magazine/m17/textos/conocer1.html

d ☐ El deseo de consumir puede no tener límites.

e ☐ Se compra mucho para resolver problemas psicológicos.

Motivaciones sociales del consumidor.

f ☐

g ☐ La propaganda comercial nos hace comprar productos innecesarios.

2. Busca estas palabras en el reportaje y marca su significado.

1. **Incitar**	☐ **a.** no querer	☐ **b.** prohibir	☐ **c.** estimular
2. **Adquirir**	☐ **a.** comprar	☐ **b.** luchar	☐ **c.** encontrar
3. **Adicción**	☐ **a.** afición	☐ **b.** dependencia	☐ **c.** costumbre
4. **Impulso**	☐ **a.** deseo	☐ **b.** objetivo	☐ **c.** éxito
5. **Endeudamiento**	☐ **a.** ahorro de dinero	☐ **b.** deber dinero	☐ **c.** no tener dinero
6. **Insatisfacción**	☐ **a.** enfado	☐ **b.** frustración	☐ **c.** molestia
7. **Permanente**	☐ **a.** conseguido	☐ **b.** constante	☐ **c.** estable

FÍJATE EN LA
GRAMÁTICA

3. En esta frase del reportaje, ¿qué significa *sino*? Marca la opción adecuada.

«donde no es la necesidad, sino el impulso lo que mueve a las personas a gastar sin control».

1. ☐ Las personas gastan por el impulso y no por la necesidad.
2. ☐ Ni por la necesidad ni por el impulso, por otra causa.
3. ☐ Gastan solo por la necesidad, pero no por el impulso.

ORACIONES ADVERSATIVAS

1. Las oraciones adversativas presentan un contraste entre dos ideas: *Esta conducta es previsible, pero ¿la abandonarán en la madurez?*
2. O corrigen una información: *No es la necesidad, sino el impulso lo que mueve a las personas a gastar sin control.*

4. En el reportaje hay otro ejemplo con *no... sino*. Localízalo y explica con tus palabras qué se dice en el párrafo.

5. Completa con *pero* o *sino*.

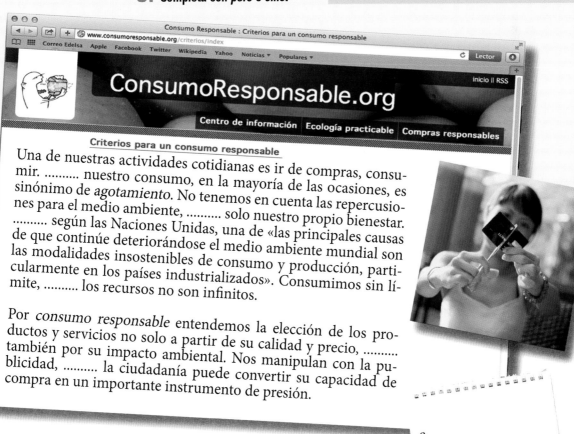

ConsumoResponsable.org

Centro de información   Ecología practicable   Compras responsables

Criterios para un consumo responsable

Una de nuestras actividades cotidianas es ir de compras, consumir. .... nuestro consumo, en la mayoría de las ocasiones, es sinónimo de *agotamiento*. No tenemos en cuenta las repercusiones para el medio ambiente, ... solo nuestro propio bienestar. .... según las Naciones Unidas, una de «las principales causas de que continúe deteriorándose el medio ambiente mundial son las modalidades insostenibles de consumo y producción, particularmente en los países industrializados». Consumimos sin límite, ... los recursos no son infinitos.

Por *consumo responsable* entendemos la elección de los productos y servicios no solo a partir de su calidad y precio, ... también por su impacto ambiental. Nos manipulan con la publicidad, ... la ciudadanía puede convertir su capacidad de compra en un importante instrumento de presión.

 Extraído y adaptado de www.consumoresponsable.org/criterios.index

OPINA:
¿SOMOS MÁS CONSUMISTAS QUE ANTES?

6. Escribe un párrafo dando tu opinión sobre el contenido del reportaje, si consideras que la sociedad actual es más consumista que antes.

▶ **PREPÁRATE**

DERECHOS Y DEBERES DEL CONSUMIDOR

1. Lee el texto y complétalo con estas palabras.

> accidente – equivocado – estropeados – factura – garantía – ha adquirido –
> plazo de tiempo – producto – reembolso – revise – talla – tienda

Correo Edelsa Apple Facebook Twitter Wikipedia Yahoo Noticias ▾ Populares ▾ | Lector

EROSKI CONSUMER

tu búsqueda

Portadas anteriores | Boletines ▾ | Bienvenido (ES) ▾

FUNDACIÓN **EROSKI** contigo

Alimentación Salud Seguridad alimentaria Bebé M. Ambiente Mascotas Solidaridad Economía Tecnología Bricolaje Educación Web TV

Portada > Economía > Sociedad y consumo

Devolución de productos

Antes de efectuar una compra conviene informarse acerca de la posibilidad de efectuar su devolución, y en caso de que sea posible conocer si está sujeta a algún tipo de condición

4 de octubre de 2006

Suscríbete y recibe lo último sobre economía doméstica

Tu email   Suscribir

En una devolución, un cliente que .... un producto previamente lo devuelve a la .... y, a cambio, recibe el ...., un cambio por otro artículo (igual o diferente), o un crédito de la tienda. Se suelen aceptar devoluciones siempre que el cliente tenga un recibo, tique o ...., que no haya pasado más de un .... determinado después de realizada la compra y que esté en buenas condiciones el ...., esto es, que se pueda revender.

Hay varias razones para devolver la mercancía: un cambio de idea del comprador, deficiencia de la mercancía, insatisfacción personal, una compra del producto .... o una .... incorrecta en la ropa. En cuanto a los aparatos, si están en ...., se pueden cambiar o pedir que los .... el servicio técnico si están .... o no funcionan correctamente, pero no por estar rotos por un .... o una mala manipulación.

2. Cuenta tu experiencia. Para ello, responde a estas preguntas.

1. ¿Has tenido que devolver recientemente algún producto o llevarlo a reparar porque estaba estropeado?
2. ¿Cuál era el problema?
3. ¿Quedaste satisfecho?

▶ **COMPRENDE**

TODO TIENE SOLUCIÓN

PISTA 🎧 3 *Actividad interactiva de audio descargable en* tuaulavirtual

tuaulavirtual

3. Escucha y resume el contenido, para ello responde a estas preguntas.

- ¿De qué producto hablan?
- ¿En qué departamento están?
- ¿Qué propone hacer el empleado?

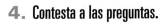

Comprensión auditiva

4. Contesta a las preguntas.

1. ¿Cuál es el problema?
2. ¿Cuál cree la cliente que es el motivo del problema? ¿Está de acuerdo el empleado?
3. ¿Se conecta la cliente a Internet con frecuencia?
4. ¿Qué van a hacer? ¿Por qué?
5. ¿Qué ocurre con la mitad de los clientes que vienen a este departamento?
6. La cliente admite que quizá ha cometido algún error. ¿Cuál?

▶ REFLEXIONA Y PRACTICA

SINO TODO LO CONTRARIO

5. Pregunta a tu compañero por algunos temas de actualidad y responde a sus preguntas como en el modelo. Te damos algunas ideas.

▶ ¿Crees que ya ha pasado la crisis económica de una vez?
▶ Sí, creo que ya ha pasado, que la economía va mejor.
▶ No, no creo que haya pasado, sigue habiendo muchos problemas.

1. Han sacado el nuevo teléfono inteligente, es el teléfono del futuro.
2. Han descubierto el medicamento que cura el sida.
3. En los últimos siglos, ha mejorado la vida de las personas.
4. El mundo actual ha llegado a ser más ecológico.
5. Los avances científicos ya han conseguido descubrir todos los misterios del universo.

OPINIONES SOBRE HECHOS PASADOS

Creo que le ha entrado un virus.
No creo que se haya estropeado.

Perfecto de subjuntivo:
Verbo *haber* en presente de subjuntivo + participio

(Yo)	haya	
(Tú, vos)	hayas	
(Él, ella, usted)	haya	
(Nosotros, nosotras)	hayamos	+ participio
(Vosotros, vosotras)	hayáis	
(Ellos, ellas, ustedes)	hayan	

6. Une las frases eligiendo entre *ni… ni* o *no… sino*, según el sentido.

NI… NI Y NO… SINO

1. Negar dos o más ideas: *Ni todo es negro ni todo es blanco, hay muchos matices de gris.*
2. Corregir una idea: *No es negro, sino gris oscuro.*

1. No he leído las instrucciones. No sé dónde están.
2. No quiero comprar la fotocopiadora. Quiero alquilarla.
3. Esta tableta no solo está estropeada. También está un poco rota.
4. No he comprado un teléfono con 4G. Tampoco lo voy a comprar.

▶ ACTÚA

MANÉJATE EN UN COMERCIO

7. Un cliente trae un producto estropeado al servicio técnico y el empleado le atiende. Elige tu papel y prepara, durante cinco minutos, lo que piensas decir. Luego, actúa con tu compañero.

PARA AYUDARTE

Un aparato electrónico: un móvil, una tableta, etc., una cámara de fotos o un electrodoméstico.

Evalúate

Total _____ / 34

Todos los verbos de opinión (*creer, pensar…*) se construyen con indicativo, excepto cuando van en forma negativa, que llevan subjuntivo.
Creo que las compras deben hacerse con la cabeza.
No creo que esa oferta sea tan interesante.

1. Relaciona para formar oraciones con sentido.

1. Creo que
2. Nunca pensé que
3. No estoy seguro de que

a. comprar a crédito sea rentable.
b. el consumismo no siempre es malo.
c. los jóvenes de hoy sean más consumistas.
d. pudiera gastar tanto dinero.

/ 4

2. Transforma las frases en negativas.

a. Yo creo que es mucho más barato comprar en el supermercado que en el mercado.
....

b. A mí me parece que los alumnos entienden bien la gramática, porque hablan bien.
....

c. Estoy seguro de que es una ganga. Vamos a comprarlo.
....

d. Opino que es peligroso consumir alimentos que no son de marcas conocidas.
....

e. Reconozco que compro más por el estilo que por la calidad. Pienso que no está bien, pero lo hago así.
....

/ 5

Cuando se expresa una opinión negativa sobre algo que ha ocurrido ya, se utiliza el perfecto de subjuntivo.
Estoy seguro de que no lavé esta prenda con agua caliente. No creo que la haya estropeado yo.
Lo ha hecho mal. No creo que te haya entendido cuando le has dado las instrucciones.

3. Transforma las frases en negativas y con la acción en pasado, como en el ejemplo.

Yo creo que él normalmente me entiende bien, pero no pienso que él hoy me haya entendido.

a. A mí me parece que es una buena idea ir de compras si estás deprimido, pero no creo que hoy ....

b. Adquirir una casa es siempre una buena compra, pero en el caso de este apartamento tan viejo que te has comprado no creo que ....

c. No suele regalar nada, por eso no me parece raro .... en tu fiesta de cumpleaños.

/ 3

1. Expresan la manera en que se realiza una acción. Van con el verbo en indicativo cuando se expresa una manera conocida o explicitada de hacer algo.
Voy a hacer esto como me has explicado, que me parece muy fácil.

2. Se utiliza con subjuntivo cuando expresan la forma futura de hacer algo, no conocida.
Lo haré como tú me digas. Así que explícame cómo quieres que lo haga.

3. También se usa con subjuntivo cuando es indiferente la forma de hacerlo.
Lo haré como tú digas, no me importa cómo.

4. **Establece la diferencia de significado entre las siguientes oraciones.**

  a. Lo hice según los consejos que me dieron. / Lo haré según los consejos que me den.

  b. Haremos las compras como quieras. / Haremos las compras como quieres.

  c. Lo hago como digas. / Lo hago como me dices.   / 6

5. **A partir de las siguientes informaciones, forma una oración utilizando conectores de modo (*como, según*) y haciendo los cambios necesarios.**

  a. Haremos una redacción. El profesor nos indicará cómo la tenemos que hacer.

  b. Seguiremos una ruta de viaje. Una página web nos dice cuál es la mejor.

  c. Tenemos que actuar en la vida. Nos han enseñado cómo actuar.

  d. Tú debes resolver el problema. No sabemos cómo puedes resolver el problema.

  e. Él montará el mueble. Él seguirá las instrucciones de la guía del cliente.

  f. Yo terminaré mi redacción. Yo escribo como quiero.   / 6

LAS ORACIONES CAUSALES

1. Las oraciones causales van con los verbos en indicativo y las expresiones causales más frecuentes son:
a. Porque: es la expresión causal más general y la oración causal suele ir después de la oración principal.
Comprar todo con tarjeta de crédito no es aconsejable porque los intereses son muy altos.
b. Como: se utiliza cuando la causa es conocida y la oración causal va antes que la oración principal.
Como no funciona, lo he traído.
c. Ya que y **puesto que:** se utilizan cuando la causa es evidente en el contexto, normalmente porque ya se ha dicho antes. **Ya que** se utiliza más en situaciones informales y **puesto que** en un lenguaje formal. La causa suele expresarse antes que la oración principal.
  • *Me voy.*
  • *Pues ya que te vas, saca la basura, por favor.*
d. Dado que y **debido a que:** se usan más en un lenguaje formal y la causa se expresa después de la oración principal.
La devolución del dinero es imposible debido a que el producto está dañado.
e. Que: se usa en la lengua hablada informal para justificar una orden y va detrás del verbo.
No me insistas, que ya te he dicho que no varias veces.

2. Cuando la causa está negada, es decir, cuando se explicita lo que no es la causa real de una acción, se utiliza el verbo en subjuntivo y se usa con la expresión **no porque**.
No lo hice no porque no quisiera, sino porque no pude.

6. **Completa las siguientes frases utilizando el conector causal más adecuado.**

  a. .... no sabía inglés, no entendió nada de lo que le decían.

  b. Oye, date prisa, ... no llegamos a tiempo.

  c. .... la ley prohíbe fumar, no hay salas para fumadores.

  d. No es sencilla la curación de esta enfermedad, ... aún no se ha investigado lo suficiente.

  e. El juez puso en libertad al acusado, ... las pruebas de la acusación no eran sólidas.   / 5

7. **Completa las siguientes oraciones causales con indicativo o subjuntivo.**

  a. No fui al centro comercial porque no (estar) .... abierto a esas horas.

  b. Gasto poco no porque no (tener) .... dinero, sino porque no me (gustar) .... comprar por comprar.

  c. Me he apuntado a una página de compra por Internet no porque (querer) .... ahorrar, es que no tengo tiempo.

  d. Todo el mundo ha dejado de comprar en esa tienda de ropa porque sus empleados (ser) .... muy poco amables.   / 5

Léxico

PARA AYUDARTE
- El bazar
- La *boutique*
- La cadena de tiendas
- Los grandes almacenes
- La tienda de barrio
- La tienda de oportunidades

DIME DÓNDE COMPRAS
Y TE DIRÉ CÓMO ERES

1. Distingue los lugares donde compras. Para ello, responde a las preguntas.

- ¿En qué se diferencia una tienda de oportunidades de una *boutique*?
  ¿Y unos grandes almacenes de una cadena de tiendas? Pon ejemplos.
- ¿Qué artículos puedes encontrar en los bazares? Menciona cosas
  que no se compran normalmente allí. Por ejemplo: una impresora.

2. Mira estas secciones de unos grandes almacenes y di dónde
se pueden comprar los siguientes productos.

- una lavadora-secadora
- el último libro de Vargas Llosa
- sartenes antiadherentes
- una crema hidratante
- un sándwich de jamón y queso
- unas zapatillas para correr
- unos pendientes de perlas
- unos vaqueros
- rotuladores
- unas sandalias de tacón

PERFUMERÍA | JOYERÍA
NIÑOS | MODA JOVEN
ZAPATERÍA | DEPORTES
MENAJE | LIBRERÍA
HOGAR | PAPELERÍA
CABALLERO | SEÑORA
INFORMÁTICA | CAFETERÍA
ELECTRODOMÉSTICOS | JUGUETERÍA

ARTÍCULOS DE CONSUMO

3. Identifica en la imagen estos productos.

- la aguja
- el alfiler
- el botón
- la cinta métrica
- la cremallera
- la cuerda
- el hilo
- el lazo
- las tijeras

a.

b.

c.

d.

e.

f.

g.

h.

i.

4. Encuentra el intruso y explica por qué
es diferente.

1. artículo, producto, mercancía, distribución
2. cremallera, botón, lazo, pantalón
3. amplio, ajustado, apretado, pequeño
4. alfiler, cuerda, aguja, hilo
5. descosido, doblado, estropeado, arrugado
6. carnicería, joyería, pescadería, frutería

5. Completa las frases con palabras del ejercicio anterior.

1. Mi abuelo era sastre, siempre rodeado de agujas, hilos y ....
2. Llevas la .... del pantalón abierta. Súbetela.
3. Los zapatos le quedan muy .... , ¿le traigo un número más?
4. Esa cadena de tiendas funciona muy bien y la .... es excelente.
5. En esa .... tienen el mejor marisco de la ciudad.
6. ¿Es que no te has planchado la falda? Está toda ....

RECLAMACIONES Y PROTESTAS

Léxico

6. Marca qué haces cuando estás insatisfecho con algo que acabas de adquirir o si el artículo está en malas condiciones.

- ☐ Escribes una carta de reclamación a la tienda.
- ☐ Exiges que te devuelvan el dinero.
- ☐ No vuelves a comprar o a ir a ese establecimiento.
- ☐ Cambias el artículo.
- ☐ Pides el libro de reclamaciones.
- ☐ Rompes la tarjeta de fidelización de esa tienda o gran almacén.
- ☐ Te diriges al Departamento de Atención al Cliente.
- ☐ Te quejas al encargado.

DE COMPRAS

7. Clasifica estas frases en el establecimiento en que puedes escucharlas (hay cinco por cada uno).

1. Me aprieta un poco la cintura.
2. ¿Te gustan los de la punta cuadrada?
3. Le queda muy ancho.
4. Quiero unos cómodos para andar por la ciudad.
5. Ese tacón es demasiado alto para mí, casi me mato.
6. No tenemos su talla.
7. Todos los de pana del escaparate están rebajados, tienen un descuento del 50 %.
8. ¿Quién da la vez?
9. ¿Los probadores? Al fondo a la derecha.
10. ¿Me pasa el calzador?
11. Póngame cuarto y mitad.
12. Vale, pues póngame una docena.
13. ¿Qué número calza?
14. Están muy maduros.
15. ¿Cuánto es?

EN UNA FRUTERÍA

EN UNA *BOUTIQUE*

EN UNA ZAPATERÍA

8. Elige la opción correcta.

1. ¿Dónde «se pide y da la vez»?
   a. En un bar.   b. En una frutería.   c. En una tienda de ropa.
2. «Estar algo pasado de moda» significa…
   a. que es un éxito.   b. que ya no se lleva.   c. que sigue las normas de la moda.
3. Lo contrario de «dar de sí» una prenda es…
   a. encoger.   b. ensanchar.   c. estropear.
4. ¿En cuál de estas formas de pago se puede pagar poco a poco?
   a. Pagar a plazos.   b. Pagar en efectivo.   c. Pagar con tarjeta.

9. Ahora, en parejas, escribe y representa un diálogo utilizando frases del ejercicio anterior.

Buenas tardes, ¿en qué puedo ayudarla?

Pues busco un jersey blanco…

¿Qué le parece este?

Exprésate ▶ ¿Lo barato sale caro?

PREPÁRATE

1. Lee estas noticias y resume cada una en una frase.

R E B A J A S
a lo grande, sin moverte de casa

«La mayor parte de las oportunidades ofrecen descuentos que van del 50 % al 70 % del precio inicial. Representan el 12 % de la facturación del sector textil en España, cuando hace 10 años suponían menos del 1 %».

«Aumentan las reclamaciones por las ventas de chollos por Internet: te cobran inmediatamente, pero tardan meses en enviarte la mercancía rebajada».

«El comercio *on-line* creció un 27 % el año pasado. Las webs de ventas con rebajas son responsables de buena parte de este crecimiento».

2. ¿Cuál es tu actitud ante las oportunidades? Responde a estas preguntas y compara tus respuestas con las de un compañero.

1. ¿Cuáles son las tiendas más baratas que conoces? ¿Sueles comprar ahí? ¿Por qué? Si compras por Internet, ¿buscas las webs de ofertas? ¿Esperas a las rebajas para comprarte las cosas que quieres?

2. ¿Cómo te sientes cuando consigues alguna ganga? ¿Cómo te sientes cuando compras algo y lo ves rebajado a la mitad la semana siguiente?

3. ¿Alguna vez has comprado algo que no necesitabas realmente, solo porque era un chollo?

4. ¿En qué clase de productos sueles buscar las cualidades siguientes? Piensa en algunos ejemplos: regalos, hoteles u hostales, billetes de avión, comida, medicinas, ropa, teléfonos móviles, muebles, restaurantes, entradas a discotecas o lugares de ocio, etc.

UN PRECIO LO MÁS BAJO POSIBLE

UNA BUENA RELACIÓN CALIDAD-PRECIO

BUENA CALIDAD, AL PRECIO QUE SEA

TERTULIA

3. Interpreta la frase. ¿Qué crees que quiere decir?

Lo barato sale caro

4. Marca las ideas con las que estás de acuerdo y propón argumentos con las que no.

(1) A veces los productos baratos no son peores que los caros, sino incluso mejores.

(2) Aparte de la calidad, la ropa de marca es más elegante.

(3) Da igual lo que cueste algo, el precio no responde a la calidad, sino a la publicidad.

(4) Las cosas baratas no solo son más feas, sino que además se rompen antes y tienes que comprarlas otra vez.

(5) No es cierto que los chollos sean malos porque, aparte de que la ropa de marca es cara, a veces las etiquetas son falsas y en realidad estás pagando el nombre de una firma.

(6) No hay que buscar grandes oportunidades. Sea como sea, al final acabas pagando lo mismo con oferta que sin ella.

(7) Por una parte, la calidad tiene un precio. Por otra (parte), los productos malos se estropean antes. Además, los productos de calidad te ofrecen más seguridad.

(8) Si necesitas un artículo, no importa lo que cueste, debes adquirirlo.

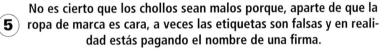
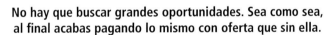
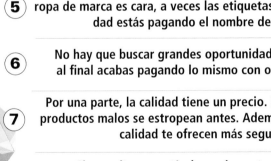

REBAJAS

5. Discute y expresa tu opinión sobre las ofertas y las rebajas.

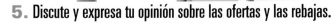

Expresión escrita

- Se dirige a una persona con un cargo de responsabilidad de un organismo o empresa con la finalidad de presentar una queja y exigir algo a cambio.
- Nunca puede usarse el tuteo en una carta formal. El solicitante siempre se dirigirá de *usted* al destinatario.
- Tiene una estructura y suele constar de tres párrafos en donde se presenta el motivo de la reclamación, se desarrolla y se concluye, exigiendo una solución.

UNA CARTA BIEN ESTRUCTURADA

1. Observa la estructura, lee las frases y clasifícalas en el apartado adecuado.

ESTRUCTURA

1. SALUDAR
2. EXPONER EL MOTIVO DEL CORREO (QUEJA o RECLAMACIÓN)
3. EXIGIR UNA COMPENSACIÓN O QUE SE TOMEN MEDIDAS
4. DESPEDIRSE

a. ☐ Por todo lo mencionado, espero que nos devuelvan el dinero…

b. ☐ Le ruego que se pongan en contacto con nosotros a la mayor brevedad o, de lo contrario, …

c. ☐ No dudo de que se trata de una confusión.

d. ☐ Le adjuntamos información detallada…

e. ☐ Le saluda atentamente,

f. ☐ El motivo de mi carta es el siguiente: el mes pasado…

g. ☐ A la atención del responsable de Atención al Cliente

h. ☐ Reciba un cordial saludo,

i. ☐ Le escribo para poner en su conocimiento que…

j. ☐ Estimado Sr./Sra. Fernández:

k. ☐ Me dirijo a usted para informarle de (que)…

Expresión
escrita

2. Encuentra los intrusos, explica por qué está mal y sustitúyelos por otra expresión más adecuada.

Querido Sr. José Antonio:

Le escribo para decirle nuestro enfado y malestar por el trato recibido de sus trabajadores y por el mal estado de la mesa de madera de roble que compramos en tu tienda el pasado mes de agosto.

En la sección de muebles de tu establecimiento de la calle Jovellanos, compramos unas sillas de comedor y una mesa para nuestro chalé de la playa. De las que tenían en oferta, el vendedor, un chico joven, nos recomendó una de roble muy baratita porque la iban a retirar del escaparate. Este vendedor nos aseguró que, a pesar de llevar en exposición varios meses, estaba bien, aunque nosotros no pudimos comprobarlo porque estaba puesta en el escaparate. Y cuál fue nuestra sorpresa cuando, al día siguiente, nos la entregaron en nuestro domicilio y pudimos ver los arañazos que tenía por toda la superficie. Llamamos inmediatamente a la tienda y dijisteis que la mesa había salido en perfecto estado de allí y que, si tenía algún desperfecto, era culpa nuestra por su mal uso.

Como comprenderá, nos sentimos enfadados y exigimos que nos regalen otra mesa mejor cuanto antes. De no ser así, pondremos una reclamación en la Oficina del Consumidor.

Hasta la vista,

Eloy Morata Pérez

P.D.: Te meto fotocopia del tique de compra.

PARA AYUDARTE

- a la mayor brevedad posible
- Atentamente
- en exposición
- en perfecto estado
- estafados
- Estimado Sr. Peláez
- expresarle nuestra indignación
- Le adjunto
- por parte de sus empleados
- que adquirimos en su establecimiento
- que salía muy bien de precio
- repongan otra
- sin experiencia

REDACTA TU CARTA DE RECLAMACIÓN

3. Lee esta situación y escribe una carta o correo de reclamación exponiendo todo lo sucedido y exigiendo que hagan algo para solucionarlo.

Compraste un ordenador portátil hace un mes y medio. Hace dos semanas se quedó la pantalla en negro. Lo volviste a empaquetar en su caja original con todos los accesorios y lo llevaste a la tienda. Allí te dijeron que, como tenía garantía de dos años, lo mandarían al servicio técnico y ayer te llamaron para decirte que repararlo te costará 200 euros, porque tenía la pantalla rota y esa rotura no la cubre la garantía.

Películas galardonadas

EXTENSIÓN CULTURAL

Amplía tus conocimientos en www.edelsa.es

aulavirtual
amplia tus conocimientos on-line

Competencia pragmática	**Competencia** lingüística: gramática	**Competencia** lingüística: léxico	**Competencia** sociolingüística
▷ explicar tus gustos en el cine ▷ negociar tus planes de ocio ▷ debatir sobre el ocio	▷ *aunque* con indicativo y subjuntivo ▷ las oraciones concesivas ▷ las oraciones independientes con subjuntivo	▷ las actividades de tiempo libre ▷ las expresiones deportivas ▷ el ocio	▷ los éxitos cinematográficos en español ▷ el concepto del ocio en Argentina ▷ los estereotipos entre norte y sur

¿QUÉ TE HACE IR AL CINE A VER UNA PELÍCULA?

Marca tus motivos y explícalo.

- ☐ la buena crítica
- ☐ el boca a boca
- ☐ los actores
- ☐ el guion
- ☐ el director y el equipo de realización
- ☐ los efectos especiales
- ☐ los premios que consiga (Goya, Óscar, etc.)
- ☐ la banda sonora
- ☐ otros motivos…

Clara LAGO — Dani ROVIRA — Carmen MACHI — Karra ELEJALDE

OCHO APELLIDOS VASCOS

Una película de EMILIO MARTÍNEZ-LÁZARO

14 de MARZO en CINES

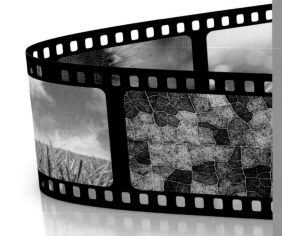

¿CONOCES EL ÚLTIMO ÉXITO DEL CINE EN ESPAÑOL?

Responde a estas preguntas.

1. ¿Conoces los estereotipos que hay sobre los vascos y sobre los andaluces?

2. ¿Qué te sugiere el título de esta película: *Ocho apellidos vascos*? ¿Cuántos apellidos se tienen en España? ¿Y por qué ocho?

3. ¿Qué tipo de película crees que es: de ciencia ficción, de aventuras, una comedia, etc.? ¿Por qué?

3

Comprensión
lectora

Lee
y opina

▶ Una crítica cinematográfica

UNA PELÍCULA QUE BATE RÉCORDS DE TAQUILLA

1. Lee esta crítica.

Ocho apellidos vascos

Ficha | Críticas [327] | Trailers [3] | Imágenes [11] | Cines [1]

Año **2014**
País **España**
Director **Emilio Martínez-Lázaro**
Reparto **Dani Rovira, Clara Lago, Carmen Machi, Karra Elejalde, Alfonso Sánchez, Alberto López**
Género **Comedia. Romance | Comedia romántica**

6,3
38.715
votos

Ocho apellidos vascos es, desde que se estrenó, la película española que posee la recaudación más alta y que ha alcanzado un mayor número de espectadores en las salas nacionales. Uno de los grandes secretos de la película ha consistido en desmontar las supuestas barreras ideológicas que diferencian y distancian a una región de otra.

El argumento de esta comedia se basa en el choque de los arquetipos vascos y andaluces, mezclados con el eficaz y eterno recurso de la atracción romántica entre opuestos. Amaia (Clara Lago), la joven y bella protagonista, es taxista y vasca. Rafa (Dani Rovira) es un sevillano presumido que nunca ha salido de Andalucía. Ambos se conocen durante la Feria de Sevilla. Aunque Amaia celebre su despedida de soltera con sus amigas, no va a casarse, pues su novio la ha dejado. A la mañana siguiente y sin despedirse, Amaia vuelve a su pueblo del norte de España y Rafa toma la decisión de viajar hasta Euskadi para conquistarla. Así, Rafa emprende una loca aventura enfrentándose al miedo a un lugar desconocido. Allí coincidirá con Koldo (Karra Elejalde), el padre de la chica, y tendrá que hacerse pasar por un vasco de verdad, es decir, uno con sus ocho apellidos vascos. Para ello contará con la ayuda de Merche (Carmen Machi), una señora de Cáceres que se hará pasar por su madre.

Los guionistas no solo han escrito unos diálogos dinámicos e ingeniosos, sino que también sacan punta a todas las situaciones de conflicto entre unos protagonistas completamente distintos. Aun antes de empezar el rodaje de la película, tanto los productores como el director y los guionistas tuvieron dudas sobre si la película podía molestar a los vascos y a los andaluces y suavizaron algunos aspectos del guion original para obtener una comedia con unos toques ácidos, pero esencialmente amables.

Aunque esta película es un éxito de taquilla, la crítica especializada se muestra dividida: la cinta tiene «muchísima gracia», es «divertida» y con réplicas «tan eficaces como feroces» e «inspiradas y brillantes» para unos; para otros, aunque la película tenga muchos premios, es «una comedia mala» con un desarrollo irregular y el final, catastrófico.

2. ¿Qué valoraciones positivas resaltarías? ¿Y qué valoraciones negativas?

3. Lee y da tu opinión, respondiendo a estas preguntas.

1. ¿Ocurre lo mismo en tu país entre las personas del norte y del sur?

2. ¿Existe alguna película en tu país donde se hable de cómo son y los problemas que tienen los habitantes de las diferentes regiones?

3. ¿Crees que es positivo hablar de los tópicos sobre cómo son las personas de unas regiones y otras dentro de un mismo país?

Se dice que las personas del sur son más simpáticas, graciosas, abiertas y con ganas de juerga, mientras que los del norte son fríos, serios y muy trabajadores.

AMPLÍA TU VOCABULARIO

4. Busca en la crítica estas palabras y relaciónalas con su significado.

RELACIONA

1. Recaudación	a. Modelo, tipo ideal.
2. Espectador	b. Persona que ve un espectáculo.
3. Arquetipo	c. Cantidad de dinero que se recibe o gana en un negocio.

5. Busca en la crítica las palabras correspondientes a estas definiciones.

1. Verse por primera vez una película: ....
2. Película divertida, de final feliz: ....
3. Historia o tema de una película: ....
4. Personaje o actor principal: ....
5. Persona que crea y escribe una película: ....
6. Persona que dirige una película: ....
7. Texto que describe los detalles para realizar una película: ....
8. Persona que pone el dinero para hacer una película: ....
9. Texto para evaluar una película: ....
10. Lugar en los cines donde se compran las entradas: ....

Consigue tu entrada para el 8 de agosto y ¡acude al cine! con HSM

055

★ CINEMA ★
LA ISLA MÍNIMA

FÍJATE EN LA GRAMÁTICA

AUNQUE

Se utiliza **aunque** para contraponer una idea a otra.

6. En estas frases, referidas a la crítica, se presentan dos ideas contrapuestas. Transfórmalas utilizando *pero*.

- «Aunque esta película es un éxito de taquilla, la crítica especializada se muestra dividida».
- «Aunque la película tenga muchos premios, es una comedia mala».

7. Termina las frases.

1. Aunque la película es divertida, ...
2. Aunque una película tenga muchos premios, ...
3. Aunque el reparto sea muy conocido, ...
4. Aunque el director es muy bueno, ...

OPINA:
¿QUÉ TIPO DE CINE PREFIERES?

8. Responde a estas cuestiones.

¿Qué prefieres, el cine nacional de tu país o el que se hace fuera, en el extranjero?
¿Qué tipo de cine gusta más en tu país?
¿Hay más superproducciones extranjeras o películas nacionales?
¿Quiénes son tus actores preferidos? ¿Por qué?

3

Comprende y actúa

Comprensión auditiva

Una sociedad cada vez más hedonista

▶ **PREPÁRATE**

¿QUÉ SUELES HACER EN TU TIEMPO LIBRE?

1. Lee el texto y contesta a las preguntas.

TARINGA! Posts | Mi T! | Comunidades | T! Música   f INGRESAR REGISTRARTE Buscar

Lo más destacado   En ascenso   Lo más reciente   Crear Post!

El ocio y el tiempo libre definen a los argentinos   T! 0 👍 0 🐦 2 8+

Los argentinos se consideran personas felices, satisfechas con su vida y cada vez más hedonistas. Lo asegura un estudio según el cual en Argentina «prevalece el placer y se reafirman valores como la diversión, la emoción y el disfrutar de la vida en general». Se destaca un creciente interés por el bienestar relacionado con el ocio, priorizando las experiencias sobre los bienes materiales. Y explica que se pueden ver sociedades, como la china, rusa, japonesa o india, por ejemplo, que están más cercanas a valores como el poder y la tradición, mientras que la argentina se acerca más al placer. Algo parecido ocurre en países como Italia, Francia o España, según destaca la investigación.

En este sentido, se aprecia que, en los últimos años, aumentaron las ganas de «participar de agasajos o de fiestas con amigos, realizar viajes cortos, aunque sean en el día, y asistir a *shows,* conciertos, cines o eventos deportivos». Estas manifestaciones trepan posiciones en la escala de valores y hoy los argentinos les dan más importancia que sus vecinos de Latinoamérica e incluso que otras nacionalidades del mundo.

Información extraída de http://www.taringa.net

---

1. ¿Qué percepción tienen los argentinos de sí mismos?
2. ¿A qué dan más importancia, a las experiencias o a las cosas materiales?
3. ¿Qué dos tipos de sociedades se comparan? Menciona los países.
4. ¿Qué ha aumentado en Argentina en los últimos años?
5. ¿A qué dan más importancia los argentinos que sus vecinos latinoamericanos?

2. ¿Somos más hedonistas que antes? Responde a estas preguntas.

- ¿Qué actividades de ocio y tiempo libre te gustan más? Marca lo que sueles hacer.

- [ ] ir al cine o al teatro
- [ ] ir de compras
- [ ] visitar museos y exposiciones
- [ ] hacer ejercicio o algún deporte
- [ ] salir al campo o a la playa
- [ ] viajar
- [ ] leer
- [ ] cantar o tocar en un grupo
- [ ] resolver pasatiempos
- [ ] cuidar a tu mascota
- [ ] asistir a un evento deportivo
- [ ] ir de fiesta o ir de juerga con los amigos
- [ ] celebrar un acontecimiento familiar
- [ ] realizar un viaje corto o una excursión
- [ ] jugar con la consola
- [ ] mantener contactos por la red
- [ ] ser coleccionista de sellos

✓

PARA AYUDARTE

El tiempo libre es para...
- descansar y reponer fuerzas.
- hacer las actividades que realmente me gustan.
- cambiar la rutina diaria.
- entretenerme o pasármelo en grande.
- aprender y desarrollarme como ser humano.
- no hacer nada, vaguear.
- buscar el placer, lo que me gusta.

Jóvenes en la avenida 9 de Julio, una de las calles principales de Buenos Aires (Argentina)

- ¿Qué concepto del tiempo libre tienes? ¿Te consideras una persona hedonista?
- ¿Crees que la gente, en general, es más hedonista hoy que en el pasado, es decir, que le gusta disfrutar más de su tiempo libre? Para ayudarte a tomar una posición, compara las actividades de ocio que haces con las que hacían tus padres o tus abuelos.

▶ **COMPRENDE**

UNA CHARLA ENTRE COMPAÑEROS DE PISO

Comprensión
auditiva

PISTA 🎧 *Actividad interactiva de audio descargable en* tuaulavirtual

aulavirtual

PARA AYUDARTE

- No es…, sino que…
- No es que…, sino que…

3. Corrige la información incorrecta.

1. Él está aburridísimo y necesita salir por ahí.
2. Basta que ella proponga hacer algo para que él quiera hacerlo.
3. Él prefiere quedarse en casa a trabajar con el ordenador.
4. Resulta que ella ha leído en una revista que los argentinos son los más aburridos del mundo.
5. Para ella, el tiempo libre consiste en vaguear, leer el periódico en Internet y jugar con las consolas.
6. Ella sabe que él no quiere salir con ella porque se aburren juntos.

4. Relaciona las expresiones sinónimas.

RELACIONA

1. Pasarlo bien.	**a.** Ser una persona alegre.
2. Vaguear.	**b.** Divertirse.
3. Dar una vuelta.	**c.** No hacer nada en particular.
4. Ser la alegría de la huerta.	**d.** Dar un paseo.

5. Tu interpretación de los hechos: responde a estas preguntas.

1. ¿Crees que Marta y Ricardo tienen los mismos gustos?
2. ¿Coinciden en su percepción del tiempo libre? ¿Por qué?
3. ¿En qué consiste el tiempo libre para Marta? ¿Y para Ricardo?

▶ **ACTÚA**

COMPARTE TU TIEMPO LIBRE

6. Estás pasando unos días en Bogotá y no sabes qué hacer. Consulta esta página de Internet y ponte de acuerdo con tu compañero a pesar de tener gustos diferentes.

Ejemplo:
- *¿Te apetece que vayamos al Museo Botero?*
- *Pues, la verdad, no mucho. ¿Por qué no visitamos el Jardín Botánico José Celestino Mutis?*
- *Basta que yo sugiera algo para que tú no quieras.*

Aprende y practica ▸ Concesivas y oraciones independientes con subjuntivo

Evalúate

Total _____ / 33

ORACIONES CONCESIVAS

Aunque + indicativo:

1. Se utiliza para presentar un obstáculo real. El hablante constata una objeción verificada: *Aunque la película es muy buena, nunca ganará un Goya.*

Aunque + subjuntivo:

2. Se utiliza para presentar un obstáculo posible o probable, pero no conocido: *No sé si es buena la película o no. Aunque lo sea, no quiero verla.*

3. O cuando el hablante expresa una acción todavía no realizada, un hecho hipotético: *Esperamos que vuelva a actuar en nuestra ciudad el Ballet de Cuba, aunque solo sea por unos días.*

---

1. Relaciona. Luego, identifica a qué uso (1, 2 o 3) corresponde cada una.

a. Aunque le ofrezcan rodar con Almodóvar,	**1.** pienso escalar esa montaña. ☐
b. Aunque estaba nevando mucho,	**2.** no desconecta del trabajo ni un momento. ☐
c. Aunque me caiga de esa pared tan alta,	**3.** no haremos ese crucero por el Caribe. ☐
d. Aunque tengamos el dinero suficiente,	**4.** no salieron a esquiar en familia. ☐
e. Aunque está de vacaciones,	**5.** no nos apetece ir a verla. ☐
f. Aunque le digo que llame a sus amigos,	**6.** no quiere volver a actuar. ☐
g. Aunque la actuación sea divertida,	**7.** prefiere ir solo al teatro. ☐

/ 7

2. Completa las frases con el verbo en la forma correcta.

a. Aunque (ser) .... una persona muy deportista, siempre tiene bastante sobrepeso.

b. Saldré a correr un rato, aunque luego (llover) .... un poco.

c. Aunque (conseguir) .... un Óscar esta película, yo sigo pensando que es mala.

d. El Barça, aunque (perder) .... este partido, ya es finalista de la Copa del Rey.

e. Estefanía, aunque (intentar) .... entrar en esa sala de fiestas, no podrás. Es un local para mayores de 18 años.

/ 5

OTRAS EXPRESIONES CONCESIVAS

• a pesar de que   • por mucho/poco que   • aun cuando   • por más/muy... que

3. Completa las frases con el verbo en su forma correcta.

a. Por mucho que (estudiar) ...., no te darán el papel de protagonista de la obra.

b. Por más que le (preguntar) .... qué hizo la otra noche, no consigo que me responda.

c. No le gusta nada esquiar, a pesar de que (tener) .... un apartamento en la estación de esquí.

d. Por muy en forma que (estar) ...., se cansa mucho subiendo escaleras.

e. Por mucho que (bajar) .... el precio de las entradas del teatro, a la gente les seguirán pareciendo caras.

f. No sé qué hacer. Por más que (querer) .... dejar de fumar, no lo consigo.

g. A pesar de que el guía (entender) .... perfectamente el español, contestaba a todas nuestras preguntas en inglés.

h. Por mucho que los actores (decir) .... que no están bien pagados en nuestro país, las cosas no van a cambiar.

i. Por muy cansado que (estar) ...., el tenista intenta devolver todas las pelotas que le llegan a su campo.

/ 9

4. Transforma las frases del ejercicio 2 utilizando las expresiones anteriores sin repetir ninguna. Haz los cambios necesarios.

Gramática

ORACIONES REPETIDAS PARA EXPRESAR INDIFERENCIA

Hay una serie de expresiones fijas que se usan con valor concesivo:
1. *Cueste lo que cueste*, *iré a ese concierto de* rock (= Aunque me cueste mucho).
2. *Digan lo que digan*, *el partido de fútbol fue un aburrimiento* (= Aunque digan lo contrario).
3. *Pase lo que pase*, *voy a correr esa carrera* (= Aunque pase algo malo).

5. Completa los diálogos con esas frases.

a. • ¿Sabe ya Carlos que le perdiste sus gafas de bucear?
   • ...., voy a decirle toda la verdad. Espero que no se enfade demasiado por habérselas perdido.

b. • Me han dicho que va a ser dificilísimo conseguir entradas para la actuación de Jennifer López.
   • Yo voy a ir a ese concierto .... Ya haré algo para conseguir alguna entrada.

c. • Las motos acuáticas me parecen muy peligrosas.
   • Tienes toda la razón. ...., los que las alquilan en la playa, corren mucho y, si hay oleaje, son un peligro.

/ 3

EXPRESAR INDIFERENCIA

Verbo en subjuntivo + **lo que** + el mismo verbo en subjuntivo.

6. Oponte, mostrando indiferencia, como en el ejemplo.

• *Quiere cosas justas. Habrá que dárselas.*
• *Quiera lo que quiera, no se lo voy a dar.*

a. • No salgas, va a llover mucho.
   • ...., voy a salir.

b. • Es muy trabajador, encontrará un buen trabajo, seguro.
   • ...., no creo que encuentre un buen puesto de trabajo.

c. • Si te digo la verdad, ¿me perdonarás?
   • ...., no te perdono, te has portado muy mal.

d. • Sé mucha gramática, aprobaré el examen.
   • ...., no creo que apruebes, hablas muy mal.

e. • Es un político que promete cosas interesantes. Habrá que votarlo.
   • ...., no pienso votarlo.

/ 5

ORACIONES INDEPENDIENTES CON SUBJUNTIVO

Repetir o insistir en una sugerencia o una orden:
Que + presente de subjuntivo.
• *Ven un momento.*   • *¿Cómo?*   • *Que vengas.*

7. Transforma estas frases con imperativo utilizando *que* y presente de subjuntivo.

a. • David, ponte las zapatillas de fútbol si vas a jugar un partido.
   • Da igual, mamá, así con estos zapatos voy bien.
   • ...., por favor, y obedece a tu madre alguna vez.

b. • Niños, a estudiar.
   • Es que estamos cansados, ¿no podemos hacer otra actividad?
   • No, claro que no, ... os digo.

c. • Jaime, toma el dinero que te debo.
   • No, no lo quiero.
   • ....

d. No os necesito a todos en la cocina. .... de aquí. O mejor dicho, poned la mesa.

/ 4

LOS HÁBITOS DE TIEMPO LIBRE
DE TUS AMIGOS

1. Clasifica estas actividades físicas.

aparatos	nadar
baloncesto	navegar a vela
barco	pádel
béisbol	patinar
bici	pesas
caballo	pilates
caminar rápido	quad
correr	rugby
esquiar	senderismo
gimnasia	taichí
globo	tenis
golf	vela
moto	yoga

HACER...

JUGAR A/AL...

MONTAR EN/A...

OTRO

- ¿Conoces a alguien que practique estos deportes?
- ¿Dónde los practica?
- ¿Con qué regularidad?

Ejemplo:
Mi sobrino Lucas esquía todos los inviernos, cuando hay nieve, en los Pirineos.

2. Completa las frases con la expresión correcta (una se utiliza dos veces, con dos significados distintos) y fíjate en las diferencias.

> • dar la vuelta • dar una vuelta • dar vueltas • darse la vuelta

1. Cuando estábamos de excursión en Toledo, nos perdimos en el centro de la ciudad y tuvimos que .... hasta que encontramos el hotel.

2. Vas en la dirección equivocada. Tienes que .... e ir hacia allá.

3. Ellos se conocieron por la calle. Cuando se cruzaron, no pudieron evitar .... para verse y se enamoraron a primera vista.

4. Aunque llueva, ¿qué te parece si vamos a ....? Estoy harto de estar en casa.

5. La bailarina no para de girar, de .... sobre sí misma, y no se marea.

3. Subraya el intruso y explica por qué lo consideras diferente.

1. jardín botánico, zoológico, acuario, delfinario

2. teatro, circo, parque temático, cine 4D

3. leer, nadar, ver películas en versión original, trabajar desde casa

4. iglesia, mezquita, museo, sinagoga

5. ir de compras, comer en un restaurante, viajar al extranjero, hacer alguna actividad solidaria

6. director, actor, guionista, productor

7. exposición, concierto, música en directo, orquesta

8. fútbol, balonmano, maratón, voleibol

4. Completa las frases con palabras del ejercicio anterior.

1. Sus hijos son todos muy deportistas y, como son tan altos, en el colegio jugaban al .... Sin embargo, ahora ya de mayores lo que les gusta es correr y participan en muchos ....

2. La .... de Córdoba, en Andalucía, es una pieza de incalculable valor en el arte musulmán.

3. Me encanta el nuevo .... de Valencia: tiene peces de todos los tipos y tamaños.

4. En su tiempo libre, disfruta mucho cuando va a bares o terrazas al aire libre y escucha ....

5. Lo que más me gustaba, cuando era pequeña, era ir al .... a ver a los payasos, los equilibristas y los animales adiestrados.

6. Como mi familia es bilingüe, siempre que vamos al cine, preferimos ver las películas en ....

7. Paco es una persona muy solidaria y dedica sus ratos libres a ayudar a los demás haciendo ....

8. El .... de cine español más conocido en el extranjero es Pedro Almodóvar.

UN DÍA DE CINE

5. Completa las frases con las palabras del recuadro.

- el guion
- la banda sonora
- los efectos especiales
- la animación por ordenador
- (película en) 3D
- el rodaje
- el reparto

1. El .... de la película fue muy complicado porque en la selva llovía mucho y con frecuencia y había días que no podían grabar nada.

2. A Daniel lo que más le gustó de la película fue la .... Las canciones eran muy pegadizas.

3. *Las aventuras de Tadeo Jones* es una de las primeras y mejores películas de .... del cine español para niños.

4. Lo que no me gusta de las *pelis* en .... es que te tengas que poner las gafas todo el rato. Prefiero las que tienen .... y trucos sin más.

5. Para que una película sea buena, tiene que tener un buen .... y que la historia resulte atractiva a los espectadores.

6. Todos estuvimos de acuerdo en que el .... era sensacional. Había actores y actrices jóvenes y veteranos.

6. Piensa en una película y coméntala. Habla sobre el género, su director, actores, del argumento, de si ha conseguido algún premio, de la crítica que ha tenido, etc.

HABLA DE DISPONIBILIDAD Y DE RESULTADOS

7. Subraya la opción correcta.

1. Falta/Resulta que el equipo local perdió el partido cuando solo faltaban/resultaban cinco minutos para el final.

2. Mira, allí hay una mesa a la venta/libre, pero falta/resulta una silla. Mira a ver si aquella está agotada/desocupada.

3. Tenemos que ir cuanto antes a la taquilla, antes de que se agoten/desocupen todas las entradas. Solo faltan/quedan cinco libres.

4. Mira, he comprado entradas para el concierto de Juanes, pero es que me faltan/sobran dos, ¿no querrás venir con tu pareja?

5. Ya han sacado a la venta/al mercado las entradas para el próximo espectáculo de Estrella Morente. Desde que sacaron a la venta/al mercado su primer disco, no me pierdo ninguna actuación suya.

6. Queda/Resulta indignante que gaste tanto dinero en ocio, por eso no queda/tiene suficiente a fin de mes.

3

Expresión
oral

PREPÁRATE

1. ¿Te suena esta conversación? ¿Qué situaciones pueden provocar sentirse así: estrés en el trabajo, exámenes en la universidad, problemas familiares, etc.?

2. Lee. ¿Crees que refleja una realidad en la sociedad del siglo XXI?

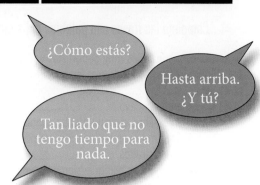

¿Cómo estás?

Hasta arriba. ¿Y tú?

Tan liado que no tengo tiempo para nada.

EL PAÍS

ICON

El tiempo libre ha muerto

PRADO CAMPOS | 9 ABR 2014 - 17:04 CET

- En un mundo en el que trabajar demasiado no basta, estar ocupado y renegar del ocio se ha convertido en el símbolo de estatus definitivo

Archivado en: Cultura empresarial   Conciliación laboral   Sociología   Empresas   Condiciones trabajo   Economía   Trabajo   Cultura   Ciencia   Sociedad

El ocio anhelado, el tiempo libre ansiado, son eso, deseos. Lo que está de moda ahora es asumir la pose de *no-tengo-tiempo-para-nada*, me faltan horas al día, etc. Y la historia no es que esto se haya convertido en nuestra realidad, que también, sino que vivir estresado está de moda e implica estatus. Estar abrumado por el exceso de trabajo es algo así como una insignia de honor. ¿Cuándo fue la última vez que alguien dijo: «No estoy haciendo gran cosa»? Si lo dice, tendemos a pensar que es un perdedor. La gente no tiene que estar tan ocupada, pero estarlo se ha convertido en un símbolo de poder y posición social. Creamos ocupaciones cuando podemos no necesitarlas porque necesitamos dar un perfil, mostrar que somos tan importantes y tan dignos como los demás.

La tecnología es un arma de doble filo, porque «nos ha dado libertad para trabajar de una manera nueva pero, al mismo tiempo, el flujo de información, la atracción adictiva del correo electrónico y las redes sociales, y la incapacidad de desconectar del trabajo pueden hacernos sentir constantemente bajo presión y sin tiempo».

3. Escucha a una periodista defendiendo la teoría de que el ocio ha muerto y contesta a las preguntas.

PISTA 🎧

Actividad interactiva de audio descargable en   tuaulavirtual

1. ¿Cómo se ve el tiempo libre en EE. UU.?
2. ¿Qué se considera allí un símbolo de estatus?
3. ¿Qué ocurre en España y en Dinamarca? ¿Y en el resto de Europa?
4. ¿Qué dos líneas de acción se sugieren para solucionar este problema?

TERTULIA

Expresión oral

4. ¿Estás de acuerdo en general con la teoría de que el ocio está en peligro de extinción? Argumenta tu respuesta.

El ocio en peligro de extinción

PARA AYUDARTE

Expresión de la opinión:
- Soy de la opinión de que...
- Me parece exagerado decir/una exageración decir que...
- (No) me parece realista/justo/adecuado decir que...
- Como comprenderás...
- Reconoce que...
- Reconozco que aunque...
- Hasta cierto punto tienes razón, pero...

1 ¿CREES QUE HOY EN DÍA LA GENTE TIENE SUFICIENTE TIEMPO LIBRE PARA HACER LO QUE LE GUSTA?

2 ¿PIENSAS QUE ACTUALMENTE ESTÁ MAL VISTO DISPONER DE MUCHO TIEMPO LIBRE?

3 ¿SIENTES QUE LA TECNOLOGÍA TIENE LA CULPA DE QUE NO PODAMOS DESCONECTAR DE NUESTRO TRABAJO, DE NUESTRAS TAREAS COTIDIANAS, ETC.?

4 ¿ES UNA DESGRACIA O UNA BENDICIÓN PODER ESTAR COMUNICADO Y DISPONIBLE LAS 24 HORAS DEL DÍA?

Expresión **escrita**

DESCRIBIR Y RECOMENDAR UNA PELÍCULA

1. Lee esta crítica cinematográfica y relaciona las partes en el texto donde se habla...

1. de la sinopsis de la película.
2. del director.
3. de la próxima película de Szifrón.
4. del productor.
5. de sus actores.
6. de la crítica.

ULTIMO MOMENTO | RATING | INTERNACIONAL | MUSICA | CINE | SERVICIOS

SEGUINOS EN: facebook. twitter▸ ▯ Móvil | Me gusta 222 652 | Follow @primiciasyacom 800K followers | Buscar... BUSCAR | FAMOS❍ YA

Cine

Viernes, 26 de septiembre de 201511:57

Famosos Ya ▸ Leonardo Favio | Me gusta 159 | Twittear 27 | g+1 0 | in SHARE | Pin it

Relatos Salvajes ya es el film más exitoso de la historia del cine local

 A.

La película ha recibido el Premio del Público a la Mejor Película Europea en el Festival de Cine de San Sebastián y se ha convertido en el título más taquillero de la historia del cine argentino desplazando a la oscarizada *El secreto de sus ojos*.

 B.

Damián Szifrón poco a poco se ha convertido en uno de los autores más interesantes del suspense latinoamericano. Tras un largo tiempo alejado de las cámaras, decidió volver a la pantalla de manera explosiva. En su nueva película, *Relatos Salvajes*, explora la pérdida del control y la racionalidad en un grupo de personajes que se ven puestos al límite cuando su vida es súbitamente alterada.

 C.

Para llevar a cabo su proyecto, reunió a un reparto de lo mejor del cine argentino, que incluye a los actores Ricardo Darín, Darío Grandinetti y Leonardo Sbaraglia. La interpretación de todo el elenco de actores es soberbia, cosa que no es de extrañar dada su trayectoria cinematográfica.

 D.

El resultado es un filme tan atípico como cautivante, compuesto por seis historias en las que los protagonistas viven situaciones límite de violencia que obligan al espectador a ajustarse a la butaca durante dos horas, sin poder despegar la mirada. Las historias están ambientadas en distintos escenarios: un avión de pasajeros, un parador de ruta, un puente perdido, la ciudad, un barrio residencial de categoría y una fiesta de casamiento, unidas por el común denominador de las reacciones violentas, que no parecen tener vuelta atrás. Las historias tratan sobre la desigualdad social, la infidelidad o el deseo de venganza. Todas estas situaciones el director las ha experimentado en algún punto.

 E.

La película, producida por Pedro Almodóvar, fue ovacionada durante su presentación en Cannes por su astucia narrativa y calidad técnica y actoral.

 F.

«Brutal, desinhibida y feroz. (...) Una película, en definitiva, de una negrura luminosa. Quizá cegadora». Luis Martínez: Diario *El Mundo*. «Es una película insólita, inteligente y mordaz que siempre te inquieta y en bastantes momentos te hace reír, una tragicomedia muy bestia». Carlos Boyero: Diario *El País*.

De la violencia, Szifrón pasará al amor, ya que planifica el rodaje de una película titulada *La pareja perfecta*. Además, tiene entre manos una historia de ciencia ficción llamada *El extranjero* y un wéstern grabado en inglés.

OBSERVA EL ESTILO

2. Relaciona estos adjetivos que aparecen en la reseña de la película con su significado.

RELACIONA

1. Soberbia	**a.** Crítico, irónico
2. Cautivante	**b.** Raro, fuera de lo común
3. Brutal	**c.** (significado positivo) Excelente, genial
4. Mordaz	**d.** Extraordinariamente bueno, intenso
5. Insólita	**e.** Atrayente, interesante

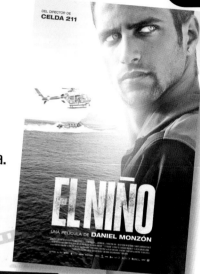

DEL DIRECTOR DE
CELDA 211

EL NIÑO

UNA PELÍCULA DE **DANIEL MONZÓN**

3. Cambia los adjetivos de esta reseña cinematográfica para hacerla más atractiva.

5 | **TeleCinco**
CINEMA

Portada	Noticias	Fotos	Vídeos	El Niño	Ocho apellidos vascos	Carmina y amén	Cine online

ÚLTIMAS PELIS >   Perdona si te llamo...   Tadeo   'Afterparty'   'Séptimo'   Volver a nacer   Lo imposible   No habrá paz...

El Niño, una película de Daniel Monzón

El Niño, la interesante película dirigida por el director español Daniel Monzón, ha sido un éxito desde su estreno en las salas comerciales. La interpretación de sus actores, muy buena, y con un guion poco común. Las escenas de las persecuciones en el estrecho de Gibraltar por mar son intensas con la policía en helicóptero y el contrabandista en lancha rápida. El trasfondo de la película es crítico y la acción no decae en ningún momento.

RECOMIÉNDANOS
UNA PELÍCULA

4. Redacta una crítica o reseña de una película del cine o de la televisión que te haya gustado.

5 | **TeleCinco**
CINEMA

Portada	Noticias	Fotos	Vídeos	El Niño	Ocho apellidos vascos

ÚLTIMAS PELIS >   Perdona si te llamo...   Tadeo   'Afterparty'   'Séptimo'   Volver a nacer

- Escribe un resumen del argumento.
- Menciona el nombre del director.
- Habla de los actores, si han ganado algún premio, etc.
- Da tu valoración.

4

TRABAJAR EN OTRO PAÍS

Migraciones / Otros países
Immigrations / Other countries

Migraciones / Ciudadanos y residentes
de la Comunidad Andina
Bolivia - Colombia - Ecuador - Perú

Inmigrantes y emigrantes del mundo hispano

EXTENSIÓN CULTURAL

Amplía tus conocimientos en www.edelsa.es >

aulavirtual
amplía tus conocimientos on-line

Competencia **pragmática**	Competencia **lingüística: gramática**	Competencia **lingüística: léxico**	Competencia **sociolingüística**
▶ opinar sobre un puesto de trabajo	▶ el imperfecto de subjuntivo	▶ la situación laboral	▶ españoles por el mundo
▶ dar consejos para una entrevista	▶ las oraciones de deseos imposibles	▶ los contratos de trabajo	▶ la realidad laboral en España
▶ debatir sobre los riesgos de vivir fuera	▶ el imperfecto de subjuntivo en el estilo indirecto	▶ los puestos y los empleos	▶ la carta de solicitud de empleo

¿ES FÁCIL ENCONTRAR EMPLEO?

Responde a estas preguntas.

1. ¿Es fácil o difícil encontrar trabajo en tu país?, ¿hay mucho paro (desempleo) juvenil?, ¿a qué edad empiezan los jóvenes a trabajar?

2. Muchos jóvenes españoles son *mileuristas*. ¿Cuál es el sueldo medio de un joven universitario en tu país que consigue su primer trabajo?

3. ¿Cuál de las siguientes opciones que hacen algunos jóvenes cuando terminan su formación o estudios te parece más acertada? ¿Por qué?
  • tomarse un año sabático
  • viajar por el mundo
  • pedir becas para hacer estudios de postgrado
  • buscar prácticas en empresas, etc.

* «Ser mileurista» significa que sobrevive aproximadamente con ese dinero al mes.

Comprensión **auditiva**

► **PREPÁRATE** ¿HAS IDO A ALGUNA ENTREVISTA DE TRABAJO?

1. Di tres cosas que debes hacer o decir, y otras tres que no debes en una entrevista de trabajo.

✓ DEBES DECIR	➖ NO DEBES DECIR
1.	1.
2.	2.
3.	3.

2. Estas palabras aparecerán en una conversación que vas a escuchar. Utilízalas para completar las frases.

> contrato (de trabajo) – currículum – formación – inconveniente – instalaciones
> promoción – puestos de trabajo – reconocimiento (médico)

1. La empresa ha cerrado y se han perdido cincuenta ....

2. Tienes que describir toda tu experiencia laboral en tu ....
y enviarlo a algunas empresas para pedir un trabajo.

3. Para comprobar tu estado de salud tienes que hacerte un ....

4. Las condiciones laborales y tu salario se describen en el ....

5. Haremos un recorrido por las ....: la oficina, el almacén,
los talleres, etc.

6. Hay muchos jefes mayores a punto de jubilarse, habrá ....
para algunos pronto.

7. Para utilizar las máquinas, necesitamos un cursillo de ....

8. El sueldo es bueno, pero hay un ....: la oficina está muy
lejos.

► **COMPRENDE** NORA EN UNA ENTREVISTA DE TRABAJO

PISTA 🎧 6 | *Actividad interactiva de audio descargable en* tuaulavirtual

tuaulavirtual

3. Escucha esta entrevista y contesta las preguntas.

1. ¿De qué ciudad es Nora?

2. ¿Dónde vive?

3. ¿Desde cuándo vive ahí?

4. ¿Cómo describe Nora la empresa?

5. ¿Es probable que tenga que viajar en este trabajo?

4. Marca: ¿verdadero o falso?

Durante la entrevista...

	V	F
1. Le ofrecieron un trabajo, pero con una condición.	☐	☐
2. Le propusieron que comenzara a trabajar mañana.	☐	☐
3. Le dijeron que firmara el contrato el primer día de la oficina.	☐	☐
4. Le comentaron que no trajera su ordenador.	☐	☐
5. Nora pidió que le dieran un día libre para hacer un examen.	☐	☐
6. Le concedieron el permiso para ir al examen.	☐	☐

5. Nora le cuenta a su padre lo que le dijeron en la entrevista. Lee y compara la información. ¿Qué información no le cuenta Nora a su padre? Escríbela.

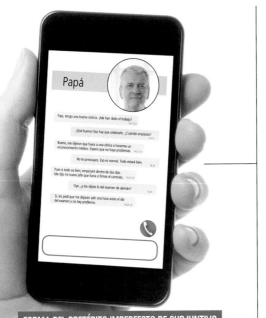

Papi, tengo una buena noticia. ¡Me han dado el trabajo!
14:17 ✓

¡Qué bueno! Eso hay que celebrarlo. ¿Cuándo empiezas?
14:19

Bueno, me dijeron que fuera a una clínica a hacerme un reconocimiento médico. Espero que no haya problemas. 14:21 ✓

No te preocupes. Eso es normal. Todo estará bien.
14:22

Pues si todo va bien, empezaré dentro de dos días. Me dijo mi nuevo jefe que fuera a firmar el contrato. 14:27 ✓

Oye, ¿y les dijiste lo del examen de alemán?
14:35

Sí, les pedí que me dejaran salir una hora antes el día del examen y no hay problema. 14:37 ✓

FORMA DEL PRETÉRITO IMPERFECTO DE SUBJUNTIVO

Infinitivo	Pretérito simple	Pretérito imperfecto de subjuntivo		Ejemplo
ACABAR	acabé	acab	+ -ara, -aras, -ara, -áramos, -arais, -aran	*Me dijo que acabara ya el examen.*
SER	fui	fu	+ -era, -eras, -era, -éramos, -erais, -eran	*Nos pidió que fuéramos formales.*
HACER	hice	hic	+ -iera, -ieras, -iera, -iéramos, -ierais, -ieran	*Les pidió que hicieran la entrevista.*
VENIR	vine	vin		

▶ **DEBATE**

DA Y RECIBE CONSEJOS

6. Elige uno de estos temas y debate con tu compañero la mejor manera de hacerlo.

1. Para pasar con éxito una entrevista de trabajo.
2. Para escribir bien un currículum.
3. Para encontrar un buen puesto de trabajo.
4. Para conseguir una beca de estudios o de formación.
5. Para irse a vivir al extranjero.
6. Para autoemplearse.

Ejemplo:

• *Yo creo que lo importante en una entrevista de trabajo es ser sincero. Por ello debes vestir como lo haces habitualmente.*

• *Pues yo creo que no, que lo importante es causar buena impresión, por lo que debes vestir apropiadamente.*

7. Ahora cambia de pareja y cuéntale tu conversación.

Le pregunté… /Me preguntó…
Le dije que… /Me dijo que…

Nosotros hablamos de qué hacer para pasar con éxito una entrevista. Mi compañero dijo que vistiéramos como lo hacemos habitualmente, pero yo creo que no; yo aconsejé que lo importante es que causáramos buena impresión y que vistiéramos apropiadamente.

Lee y opina

Comprensión lectora

UNA REALIDAD SOCIAL

1. Lee esta entrada de un blog y relaciona los párrafos numerados con los títulos.

- **a. Perspectivas de futuro** ☐
- **b. De becario en el extranjero** ☐
- **c. Un poco de historia personal** ☐
- **d. Escasas ofertas de trabajo** ☐
- **e. Un contrato indefinido** ☐
- **f. Satisfacción profesional** ☐

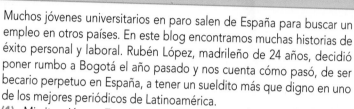

International.es

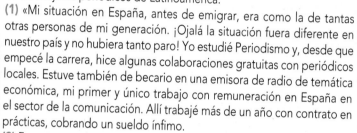

Enlaces relacionados

- Empleo ofertas trabajo
- Internet Services
- Services Internet
- Buscar trabajo
- Servicios Internet
- Arquitectura
- Empleo extranjero
- Sevicios de hosting

Muchos jóvenes universitarios en paro salen de España para buscar un empleo en otros países. En este blog encontramos muchas historias de éxito personal y laboral. Rubén López, madrileño de 24 años, decidió poner rumbo a Bogotá el año pasado y nos cuenta cómo pasó, de ser becario perpetuo en España, a tener un sueldito más que digno en uno de los mejores periódicos de Latinoamérica.

(1) «Mi situación en España, antes de emigrar, era como la de tantas otras personas de mi generación. ¡Ojalá la situación fuera diferente en nuestro país y no hubiera tanto paro! Yo estudié Periodismo y, desde que empecé la carrera, hice algunas colaboraciones gratuitas con periódicos locales. Estuve también de becario en una emisora de radio de temática económica, mi primer y único trabajo con remuneración en España en el sector de la comunicación. Allí trabajé más de un año con contrato en prácticas, cobrando un sueldo ínfimo.

(2) Estuve meses buscando un empleo en Madrid en el campo del periodismo y la comunicación. Pero no encontré nada y eso que yo ya contaba con experiencia laboral previa. Además, la idea de vivir fuera siempre me había resultado atractiva.

(3) En realidad, mi primer viaje de trabajo fue a México con una beca y, probablemente, esa experiencia fue clave para que, más tarde, me decidiera a salir a trabajar fuera de España. En México descubrí lo que puede aportarle a uno vivir en otro país: aprender a desenvolverse, conocer otra cultura, gente de todo el mundo y ver mi profesión de otra manera. Allí colaboré con dos periódicos y todavía hoy sigo trabajando con ellos desde Colombia, como columnista semanal. Cuando finalizó mi beca en México, unos amigos me recomendaron que buscara trabajo en Colombia.

(4) Nada más llegar a Colombia, solicité entrevistas en los medios de comunicación del país hasta que conseguí unas prácticas en mi actual trabajo como redactor en el diario *La República*. Y tras un periodo de becario, me ofrecieron un contrato indefinido con unas condiciones más que dignas.

(5) El trabajo que tengo en la actualidad me aporta muchas cosas. Lo que más destaco es la estabilidad y las condiciones de trabajo. Desde que llegué, cuento con un sueldo por encima del *mileurismo*, además de tener sanidad privada, pensión, etc. Desearía que todos los jóvenes tuvieran estas oportunidades.

(6) Si me ofrecieran un buen trabajo en España, claro que volvería, pero estoy bien aquí, aunque espero volver en un futuro, cuando se solucione todo y existan más ofertas de puestos de trabajo».

Extraído de blog.binternacional.net/españoles-trabajando-por-el-mundo-colombia/

2. Contesta las preguntas.

1. ¿Por qué emigran los jóvenes universitarios españoles?
2. Con tus propias palabras, explica cómo era la vida universitaria de Rubén.
3. ¿Qué tipo de trabajo estuvo buscando en Madrid?, ¿qué pasó?
4. ¿Cómo fue la experiencia laboral de Rubén en México?
5. ¿Qué le parece el trabajo que tiene en la actualidad?
6. ¿Volverá a España?

AMPLÍA TU VOCABULARIO

3. Elige la opción correcta.

1. «Poner rumbo a...» quiere decir...
   a. ☐ dirigirse a un lugar.
   b. ☐ salir de un lugar.
   c. ☐ llegar a un lugar.
2. «Becario» es una persona...
   a. ☐ que trabaja sin cobrar nada.
   b. ☐ que disfruta de una ayuda económica o beca.
   c. ☐ con un empleo estable.
3. «Remuneración» es sinónimo de...
   a. ☐ ganancias.
   b. ☐ pérdidas.
   c. ☐ retribución o pago.
4. «Probar suerte» quiere decir...
   a. ☐ intentar algo y esperar que haya suerte.
   b. ☐ intentar algo con pocas esperanzas de éxito.
   c. ☐ intentar algo y conseguirlo.

4. Completa las frases con uno de estos tipos de contrato.

> contrato en prácticas – contrato indefinido – contrato temporal

1. Felipe está muy contento porque en su empresa le han hecho un ……………...................…………, ya no tendrá que estar buscando empleo continuamente y le dará mucha estabilidad.
2. Como en su oficina no están seguros de si es la persona adecuada para ese puesto, le han ofrecido un ……………….................…………., de seis meses, y después ya verán.
3. Victoria acaba de terminar la carrera y ha empezado a trabajar con un ……………….................…………, para adquirir experiencia.

FÍJATE EN LA GRAMÁTICA

5. Subraya en estas frases, sacadas del blog, el imperfecto de subjuntivo. ¿A qué verbo corresponden?

- ¡Ojalá la situación fuera diferente en nuestro país!
- Desearía que todos los jóvenes tuvieran estas oportunidades en su vida laboral.
- Unos amigos me recomendaron que buscara trabajo en Colombia.
- Probablemente, esa experiencia fue clave para que, más tarde, me decidiera a salir a trabajar fuera de España.

6. Relaciona.

RELACIONA

1. Mis padres preferirían que yo no...
2. Me gustaría que todos mis amigos...
3. Dijeron que iba a nevar hoy, pero yo preferiría que no...
4. Estoy agotada y todavía es martes.
5. Mis familiares me recomendaron que...
6. El portero no nos abrió la puerta.

a. ¡Ojalá ya fuera viernes!
b. no visitara esa parte de la ciudad.
c. trabajara fuera de mi país.
d. fuera así, el tráfico se pone imposible.
e. Quizá ya no estuviera en la portería.
f. aprobaran el curso de español.

OPINA: ¿TE IRÍAS A VIVIR A OTRO PAÍS?

7. Discute y escribe las ventajas e inconvenientes de buscar trabajo en un país extranjero.

VENTAJAS	INCONVENIENTES

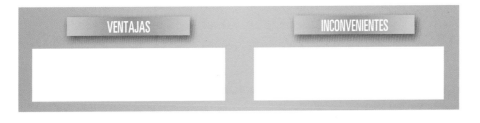

El pretérito imperfecto de subjuntivo, forma y usos

Gramática

Evalúate

Total _____ / 54

EL PRETÉRITO IMPERFECTO DE SUBJUNTIVO

Se forma a partir de la tercera persona del plural del pretérito perfecto simple (la forma –aron y –ieron), que cambia a –ara y a –iera.
Cantar – cantaron > *cantara*
Beber – bebieron > *bebiera*
Escribir – escribieron > *escribiera*
Ir – fueron > *fuera*

1. Completa el esquema de estos verbos.

	HABL**AR**	COM**ER**	VIV**IR**
(yo)	hablara	....	viviera
(tú, vos)	....	....	....
(él, ella, usted)	hablara	comiera	....
(nosotros, nosotras)	....	comiéramos	viviéramos
(vosotros, vosotras)	....	comierais	....
(ellos, ellas, ustedes)	hablaran	....	....

/ 10

2. Escribe el pretérito perfecto simple (ellos) y el pretérito imperfecto de subjuntivo.

TENER	tuvieron	tuvieran
SER/IR	....	....
ESTAR	....	....
PONER	....	....
HACER	....	....
HABER	....	....

/ 10

3. Completa con los verbos en pretérito imperfecto de subjuntivo.

a. Preferíamos a un ingeniero que (tener) .... experiencia en procesos informáticos.

b. Ojalá (hacer, ellos) .... nuevas entrevistas de trabajo.

c. Mis padres querían que yo (ser) .... médico, pero a mí me horrorizaba la sangre.

d. Si no (haber) .... tanto paro juvenil, los jóvenes no estarían tan desanimados.

e. Nosotros nunca pensamos que nuestros jefes (poder) .... despedirnos.

f. Me recomendaron que (poner, yo) .... más texto y menos fotografías en la presentación de mis proyectos.

/ 6

EL PRETÉRITO IMPERFECTO DE SUBJUNTIVO PARA EXPRESAR DESEOS

1. Se utiliza para formular un deseo de realización poco probable después de **ojalá (que)**.
¡Ojalá la situación fuera diferente en nuestro país y no hubiera tanto paro!
2. También con verbos como **querer, gustar, desear, preferir,** etc., en condicional o en pasado.
Desearía que todos los jóvenes tuvieran estas oportunidades en su vida laboral.

4. Completa con uno de estos verbos en la forma adecuada.

conocer – dar – entrar – estudiar – hablar – vivir

a. Ojalá los jóvenes de todo el mundo .... más tiempo en otros países y ....
otras culturas más a fondo.

b. Les gustaría que sus hijos .... en esa universidad tan prestigiosa y .... Derecho.

c. Desearía que todos mis alumnos .... por lo menos dos lenguas extranjeras.

d. Yo preferiría que me .... una beca bien remunerada para poder vivir sin apuros.

/ 6

EL PRETÉRITO IMPERFECTO DE SUBJUNTIVO PARA EXPRESAR HIPÓTESIS SOBRE EL PASADO

También se usa para hacer conjeturas o expresar una probabilidad en el pasado, después de **quizá**, **tal vez**, **probablemente**, **seguramente**, etc.

Probablemente esa experiencia fue clave para que me decidiera a salir a trabajar fuera de España.

5. Completa con los verbos en la forma adecuada.

a. Quizás los candidatos para ese puesto no (estar) .... lo suficientemente cualificados o la empresa no (querer)
.... contratar a nadie.

b. Tal vez el sueldo que pagaban no (corresponder) .... con la responsabilidad que conllevaba y (haber)
.... otros muchos inconvenientes.

c. Seguramente los contratos en prácticas que hizo esa empresa no (durar) .... mucho tiempo y no (ser)
.... lo suficientemente fiables.

d. Era probable que su horario laboral (cambiar) .... cuando vieran su forma de desenvolverse en la compañía.

/ 7

EL PRETÉRITO IMPERFECTO DE SUBJUNTIVO PARA TRANSMITIR CONSEJOS U ÓRDENES PASADAS

Para dar o transmitir consejos, órdenes o sugerencias después de verbos en condicional o en pasado como **recomendar**, **aconsejar**, **mandar**, **ordenar**, etc.

Unos amigos me recomendaron que buscara trabajo en Colombia.

6. Completa con los verbos en la forma adecuada.

a. Ordenaron a los empleados que (comer) .... en la cafetería del centro y no (salir) .... a la calle.

b. Sus directores de tesis le mandaron que (volver, él) .... a reescribir un capítulo de su tesis y (tener)
.... más cuidado con el estilo.

c. A nuestros compañeros de máster les gustaría que (hacer, nosotros) .... una fiesta de fin de curso e (invitar)
.... a nuestros amigos.

d. A José María sus padres le aconsejaron que no (pasar) .... tantas horas navegando en Internet y (leer)
.... más libros.

/ 8

7. Completa las oraciones con las frases del recuadro en la forma adecuada.

ser arquitecto – estar ocupada – llegar tarde – ver películas en V.O. – vivir junto al mar –
poder realizar desde casa – tener más tiempo libre

a. La profesora nos aconsejó que .... De esa forma, mejoraríamos nuestra pronunciación.

b. Rafael quería un trabajo que ....

c. Ella no le devolvió la llamada. Tal vez ....

d. Mis padres querían que yo ...., como mi tío.

e. En mi oficina, estamos siempre muy liados. ¡Ojalá ....!

f. Seguramente mi amigo .... y, al no vernos en la puerta, se marchó.

g. Preferiría que mi familia .... Así podría ir a visitarlos y bañarme más a menudo.

/ 7

(63)

SITUACIÓN LABORAL

1. Completa los espacios en blanco con la palabra adecuada.

Su ....[1] es médico, pero ahora está sin ....[2] y ha conseguido un ....[3] de camarero. Su hermano ....[4] tocando la guitarra en el metro. Es su única ....[5].

- empleo
- se gana la vida
- ocupación
- profesión
- trabajo

2. Clasifica estas palabras.

- becario
- jubilado
- autónomo
- desempleado
- parado
- sustituto
- ayudante
- estudiante en prácticas
- contratado
- interino
- trabajador en prácticas
- contrato ~ indefinido/fijo/temporal/basura/de prácticas
- trabajar ~ por cuenta propia/ajena/a tiempo completo/parcial

INICIO DE LA VIDA LABORAL	
TRABAJO ESTABLE	
TRABAJO NO ESTABLE	
FALTA DE TRABAJO	
FIN DE LA VIDA LABORAL	

ROPA Y UTENSILIOS DE TRABAJO

3. Escribe estas palabras en el lugar adecuado.

- el casco
- las botas
- el delantal
- la herramienta
- el mono
- los planos
- el uniforme

a. b. c. d. e. f. g.

4. Señala profesiones que lleven cada una de las diferentes ropas de trabajo.

Ejemplo:
Los policías llevan uniforme.

Léxico

¿CON QUÉ CARACTERÍSTICAS LABORALES SUEÑAS?

5. Elige 10 expresiones de las siguientes y escribe una descripción de tu puesto de trabajo ideal o de las condiciones de trabajo a las que aspiras.

- profesión liberal
- funcionario
- trabajo ~ físico/manual/intelectual/cualificado/especializado/creativo/en equipo/en cadena
- ejercer ~ una profesión/un oficio/una función
- desarrollar/llevar a cabo ~ un trabajo/una función/una tarea
- ocupar ~ un puesto/una plaza/un cargo
- ascender a ~ subdirector/jefe de sección/responsable de unidad
- realizar/preparar/presentar ~ un presupuesto
- coordinar ~ un departamento/un equipo (de trabajo)/un proyecto
- negociar/redactar/firmar/ampliar/renovar ~ un contrato
- distribuir un producto
- promocionar
- tener un empleo ~ en la Administración/en una multinacional
- tener/ocupar ~ un cargo ~ público/directivo/de responsabilidad
- ejercer ~ de/como ~ abogado/veterinario
- estar de ~ auxiliar/canguro
- trabajar como autónomo
- ir de ~ traje/corbata/uniforme
- flexibilidad de horario
- jornada ~ laboral/de trabajo
- jornada partida/intensiva
- día ~ laborable/festivo
- salario/sueldo/remuneración/retribución/honorario
- paga
- anticipo
- comisión
- dietas
- cobrar un salario fijo/una nómina/una paga extra/una hora extra/una indemnización

Expresión
oral

PREPÁRATE

1. ¿Qué dificultades de las que encuentran las personas que viven fuera de su país te resultarían más difíciles? ¿Por qué?

Soy licenciado, pero mis estudios no los convalidan aquí, así que no puedo trabajar.

Hablo el idioma, pero a veces no entiendo lo que quieren decir.

No me acostumbro a las comidas ni al clima de aquí.

Son amables, pero me cuesta mucho hacer amigos. Es una sociedad cerrada.

Echo de menos a mi familia y a mis amigos.

Me discriminan en el trabajo por ser extranjero. Cuando nadie quiere hacer algo, siempre me toca a mí.

Aquí todo va más lento. ¡Es desesperante!/Aquí todo es más rápido que en mi país. ¡Qué estresante!

2. Ordena estos factores que influyen en el bienestar y en la buena adaptación a la vida de un país extranjero de más a menos importantes.

- ☐ el clima
- ☐ la comida
- ☐ el aspecto físico
- ☐ el paisaje
- ☐ el ocio
- ☐ los horarios
- ☐ el idioma
- ☐ la religión
- ☐ la forma de trabajar

3. Escucha este testimonio adaptado y contesta a las preguntas.

PISTA 🎧 7 | **Actividad interactiva de audio descargable en** tuaulavirtual

tuaulavirtual

1. ¿Por qué vino César a Puerto Vallarta?, ¿por qué se quedó?
2. ¿Cómo era el trabajo de César antes?
3. ¿A qué se dedica ahora?
4. ¿Cuáles crees que eran los riesgos que menciona César?
5. ¿Qué crees que ha ganado César y qué ha perdido? ¿Crees que ha merecido la pena?
6. César está contento de haber venido a Puerto Vallarta, aunque aquí gana casi diez veces menos que con su trabajo de ejecutivo en España. Marca una de las siguientes conclusiones y justifica tu elección.
   a. Tenía que haber venido mucho antes, ahora le parecerá que no gana suficiente dinero.
   b. Tenía que haberse quedado en España y seguir ganando más dinero.
   c. Ha venido en el momento justo. Ha ahorrado dinero y ahora lo que quiere es otro estilo de vida.

TERTULIA

Expresión oral

4. Observa esta propaganda de una escuela de español y elige las tres razones que son para ti más importantes para aprender español. Justifica tus respuestas.

Razones para estudiar español

10

razones para estudiar español

ñ

Escuela de Español Lengua Extranjera

1. Para trabajar.
2. Para mejorar la educación e información.
3. Porque es un idioma universal.
4. Para descubrir otras culturas.
5. Para viajar.
6. Porque aprender lenguas te enriquece.
7. Por superación personal.
8. Por el arte y la literatura.
9. Porque te da otras habilidades.
10. Porque te lo mereces.

5. En tu centro de enseñanza, hay alumnos extranjeros (de intercambios, becados, etc.) que no conocen bien el país. Discute y haz una lista de posibles actividades para ayudar a estos alumnos a integrarse en la clase y a manejarse por la ciudad.

Los objetivos pueden ser varios de los siguientes:

{
HACER AMIGOS
CONOCER LA CIUDAD
CONOCER MEJOR LAS COSTUMBRES DEL PAÍS
APRENDER MEJOR EL IDIOMA
CONSEGUIR TRABAJO
}

Redacta

Expresión
escrita

ESTRUCTURA DE UNA CARTA DE DEMANDA

1. Lee estos párrafos, que pertenecen a una carta de demanda de empleo, y ordénalos.

1 Firmado: María López Martín

2 Les escribo en relación con la oferta de empleo de técnico en formación en línea aparecida en el diario *El País* (referencia 8173-21), para la que estimo que mi experiencia profesional se corresponde con el perfil solicitado.

3 Estimados Sres.:

4 Esperando sus noticias y agradeciendo de antemano su atención, les saluda atentamente.

5 Quedo a su entera disposición para concertar una entrevista personal, telefónica o por videoconferencia o para cualquier otra duda que pudiera surgir sobre mi currículum.

6 18 de febrero de 2015

7 IBM España
Calle de Santa Hortensia, 26-28, 28002 Madrid

8 María López Martín
Calle Islas Filipinas, 99
28003 Madrid
marialopez87@gmail.com
611241177

9 Asimismo, he trabajado durante los últimos cuatro años en la empresa INSA como técnico de elaboración de programas de autoaprendizaje y de diseños de cursos de formación a distancia de diversas actividades profesionales cualificadas. Además, previamente desempeñé el puesto de programador informático en varias firmas españolas y extranjeras, como ustedes pueden comprobar en mi currículum vítae adjunto.

10 Soy licenciada en Matemáticas Aplicadas por la Universidad de México e ingeniera técnica en Informática por la Universidad Politécnica de Madrid. Estoy en posesión del título de inglés *Proficiency*, obtenido en 2012, y he realizado varios cursos de informática aplicada a la formación a distancia y al autoaprendizaje.

El orden de los párrafos: ....

CÓMO ESCRIBIR UNA CARTA DE SOLICITUD DE EMPLEO

2. Indica qué frases podrían formar parte de una carta formal de solicitud de empleo y cuáles no.

	Sí	No
1. Yo soy el mejor en mi campo y por eso me tienen que contratar.	☐	☐
2. Estaría interesado en pasar a formar parte de su empresa.	☐	☐
3. A la espera de sus noticias, les saluda atentamente.	☐	☐
4. Podemos quedar cualquier día para hablar de mi currículum.	☐	☐
5. Les adjunto mi currículum vítae y varias referencias de mi experiencia profesional.	☐	☐

3. Lee estas cartas inapropiadas y di qué cambios habría que introducir para que fueran aceptables.

Señorita Lola Pérez
Departamento de Recursos Humanos

Querida señorita:
He visto un anuncio en Internet en el que piden un técnico de laboratorio y he pensado que por qué no yo, que llevo un tiempo en paro. Todos nos merecemos una oportunidad.
Sé muy bien cómo funciona un laboratorio porque trabajé en uno varios años y la verdad es que no se me da nada mal.
Yo estudié Farmacia, pero como no encontraba nada, hice un curso de técnico de laboratorio y me he adaptado a los cambios sin problemas.
Me he tomado la libertad de investigar en Internet sobre su empresa y creo que tenemos la misma idea de cómo organizar el trabajo y nos vamos a llevar muy bien.
Si queréis contratarme, pues, me podéis escribir a mi correo electrónico (javier222@yahoo.es) o me mandáis un SMS a mi móvil.

Javier

Estimados Sres.:
Me ha parecido muy interesante la oferta de empleo de técnico de ventas en su empresa de Ámsterdam.
Yo tengo experiencia en el extranjero y me desenvuelvo bien en inglés, pero no quiero que pase lo que me sucedió en mis trabajos anteriores en el extranjero, donde era un mileurista más. Por eso me fui.
Espero que su oferta sea más seria. Supongo que sí, porque su compañía tiene mucho prestigio internacional.
Como pueden ver en mi currículum vítae, soy una persona brillante y con muchos méritos para el desempeño del puesto: expediente académico, idiomas, ampliación de estudios, becas de excelencia, amplia experiencia profesional.
En espera de sus noticias, les agradezco de antemano su atención.

Miguel Ortiz Pérez
migort86@gmail.com

REDACTA UNA CARTA DE PRESENTACIÓN

4. Estás buscando un trabajo. Elige un puesto de trabajo que se ajuste a tu perfil profesional y escribe una carta considerando los siguientes puntos:

- El orden en el que deben aparecer las partes de la carta.
- Cómo vas a presentar tu experiencia profesional en la demanda de empleo.
- Qué aspectos de tu formación vas a incluir en tu solicitud.
- Cuál es tu disponibilidad y qué condiciones te interesan.
- Qué registro y estilo vas a elegir.

5

EL DOCTOR EN LA RED

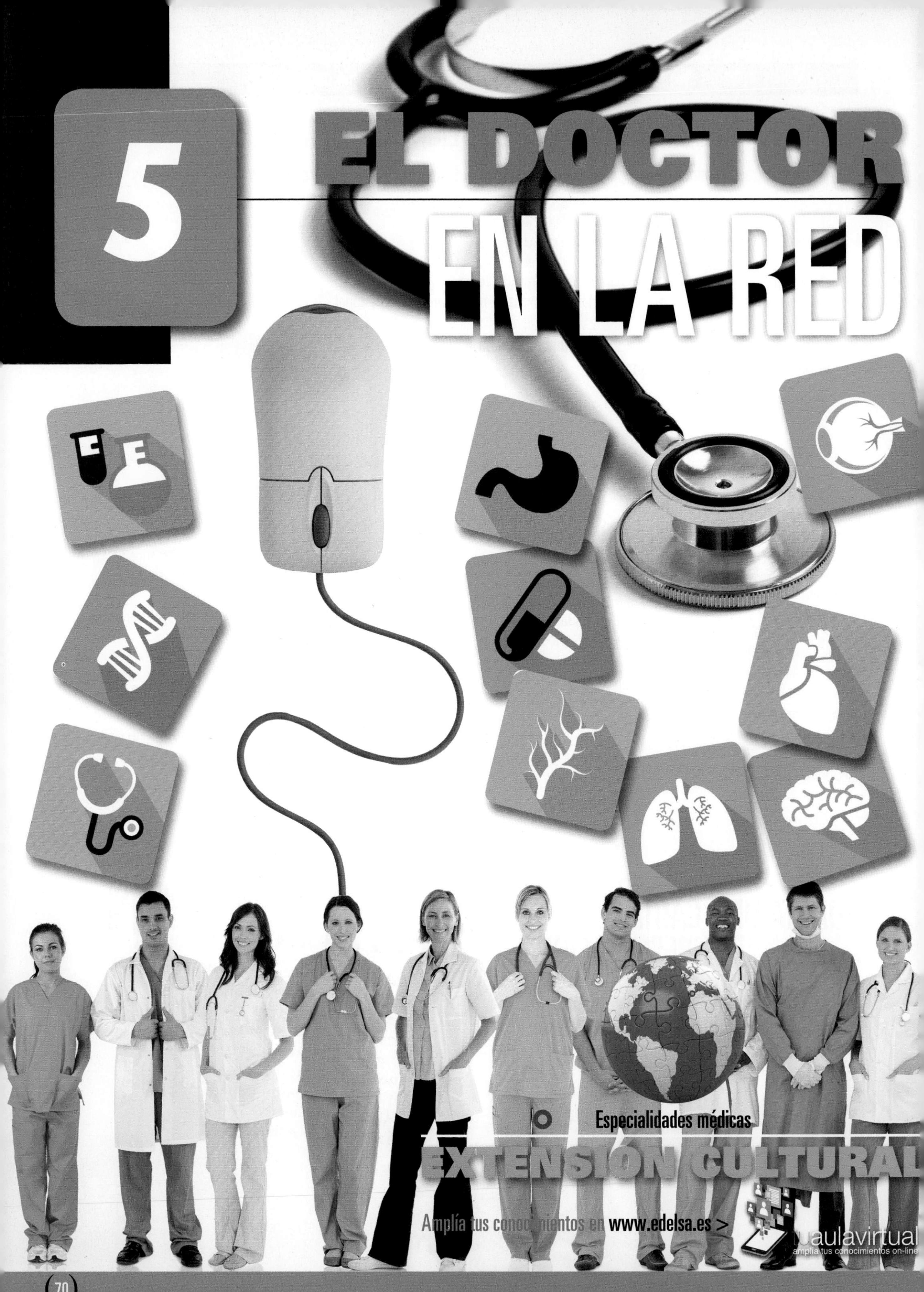

Especialidades médicas

EXTENSIÓN CULTURAL

Amplía tus conocimientos en **www.edelsa.es** >

tuaulavirtual
amplía tus conocimientos on-line

Competencia pragmática	**Competencia** lingüística: gramática	**Competencia** lingüística: léxico	**Competencia** sociolingüística
▶ valorar la automedicación ▶ discutir sobre la eterna juventud ▶ debatir sobre el papel de jóvenes y ancianos en la sociedad	▶ frases de constatación y de valoración ▶ las oraciones condicionales de difícil cumplimiento ▶ las oraciones condicionales	▶ las enfermedades ▶ el vocabulario sanitario ▶ las edades del ser humano	▶ la automedicación ▶ el hombre más viejo del mundo ▶ instrucciones para ir al médico

¿ERES UN PACIENTE RESPONSABLE?

Responde a estas preguntas.

1. ¿Compras a menudo medicinas sin ir a un médico? ¿Cuáles puedes comprar sin receta en tu país? ¿Cuáles no?
2. ¿Alguna vez has buscado información en Internet sobre tu salud? ¿Encontraste información fiable y clara?
3. Siempre que tienes alguna dolencia, antes de tomar nada, ¿consultas a tu médico de cabecera o de familia?

¿Cómo te consideras como paciente? ¿Por qué?

☐ Responsable
☐ Hipocondriaco
☐ Experto
☐ Precavido
☐ Maniático
☐ Sensato
☐ Cauteloso
☐ Disciplinado
☐ Otro: ....

¿QUÉ ACTITUD TE PARECE LA MÁS CONVENIENTE?

1. Lee este artículo.

EL PAÍS

PORTADA   INTERNACIONAL   POLÍTICA   ECONOMÍA   CULTURA   **SOCIEDAD**   DEPORTES

SOCIEDAD

EDUCACIÓN   SALUD   CIENCIA   MEDIO AMBIENTE   IGUALDAD   CONSUMO   COMUNIC   TITULARES »

▶ ESTÁ PASANDO   La epidemia del ébola   Homofobia   Acoso escolar   Reforma d   MÁS TEMAS »

El «doctor Google» abre consulta

- Un 48,3% de los internautas utiliza la Red para informarse sobre temas de salud
- La falta de credibilidad de algunos contenidos mina la confianza de los pacientes

EMILIO DE BENITO | **Madrid** | 30 JUL 2012 - 20:24 CET

Archivado en: Red.Es   Google   Diagnóstico médico   Internet   España   Medicina   Telecomunicaciones   Salud   Comunicaciones

Los pacientes españoles cada vez se automedican más. Esto no es nuevo. Desde hace tiempo, mucha gente, cuando se siente acatarrada, le duele la tripa o tiene cualquier otra enfermedad leve, en vez de acudir a la consulta del médico, le pregunta a algún conocido que le «prescribe» un medicamento que «le ha ido bien». Hay una forma menos extrema de automedicación. En ella, el paciente que se siente mal va al médico y este le hace un diagnóstico y le receta una medicina; pero la próxima vez que este paciente sienta la misma dolencia, ya no irá al médico, sino a la farmacia para comprar la misma medicación.

Últimamente, sin embargo, se ha producido un cambio sustancial. Ahora, además, el paciente puede consultar sus síntomas en muchas páginas web de forma sencilla y rápida, tanto si es una enfermedad grave, hereditaria o contagiosa. Teclee «dolor agudo en el pecho» y ¡a ver qué sale! En cuestión de segundos, puede leer artículos de todo tipo de especialistas, desde cardiólogos hasta traumatólogos. Esto no significa que la gente haya dejado de ir al médico. Está claro que el médico facilita las recetas para comprar las medicinas gratuitas o con descuento. Pero eso sí, vamos a ver a nuestro doctor armados con docenas de hojas de papel donde hemos impreso incontables artículos de Internet con la información más actualizada sobre tratamientos de enfermedades y técnicas quirúrgicas. Es cierto que estamos a la última en medicina, pero quizá no está claro que eso sea tan bueno. No faltan ni defensores ni detractores de la automedicación y la información por Internet.

- Para una persona hipocondriaca el «doctor Google» parece un paraíso, pero es un infierno. Acaba sintiendo todo tipo de síntomas.
- La automedicación exagerada es un peligro. Se calcula que hasta una tercera parte de los ingresos hospitalarios en España está producido por una medicación incorrecta o una dosis equivocada. Es alarmante que haya tantos casos de automedicación irresponsable. Esto hace que muchos hospitales se colapsen.
- Se abusa de muchas medicinas. Por ejemplo, de los antibióticos. Y se están produciendo cada vez más casos de resistencia a los antibióticos, que dejan de funcionar. Es una pena que medicinas tan caras pierdan su efectividad.

2. Corrige la información falsa o señala en el artículo el pasaje que lo confirma.

1. La automedicación es un fenómeno muy reciente.

2. Las personas que se automedican no van nunca al médico.

3. Todos los pacientes que se automedican acaban ingresando en el hospital.

4. Los antibióticos no funcionan si uno los toma con demasiada frecuencia.

5. Debido a la automedicación, los hospitales se colapsan.

AMPLÍA TU VOCABULARIO

3. Relaciona: sinónimos o antónimos.

RELACIONA

1.	Defensor	a.	Equivocado
2.	Paraíso	b.	Doctor
3.	Tratamiento	c.	Dolencia
4.	Incorrecto	d.	Detractor
5.	Prescripción	e.	Infierno
6.	Médico	f.	Medicación
7.	Enfermedad	g.	Receta

4. Busca en el artículo las palabras correspondientes a estas definiciones.

1. Identificación de la enfermedad que tiene un paciente.
2. Técnicas para operar a los pacientes.
3. Persona obsesionada con su salud que se imagina que tiene toda clase de enfermedades.
4. Cuando un paciente entra en un hospital, es el día del ....
5. Cuando en un hospital hay más pacientes de los que puede atender, se dice que se .... y deja de funcionar bien.

FÍJATE EN LA GRAMÁTICA

5. Observa y clasifica estas expresiones de opinión. Luego, busca ejemplos en el texto.

es alarmante – es cierto – es evidente – es imposible – es increíble
es una lástima – es lógico – es malo – es normal – es una pena
es una suerte – es verdad – está claro – está demostrado
está visto – lo que pasa es – ocurre – sucede

EXPRESIONES DE CONSTATACIÓN

EXPRESIONES DE VALORACIÓN

CONSTATAR HECHOS Y VALORAR LA REALIDAD

1. Con expresiones de constatación se utiliza el indicativo: *Es cierto que estamos a la última en medicina.*

2. Excepto si están negadas: *No es cierto que estemos a la última en medicina.*

3. Con expresiones de valoración se utiliza, en cambio, siempre el subjuntivo: *Es una pena que medicinas tan caras pierdan su efectividad.*

6. Lee las entradas de este foro y complétalo con expresiones del artículo.

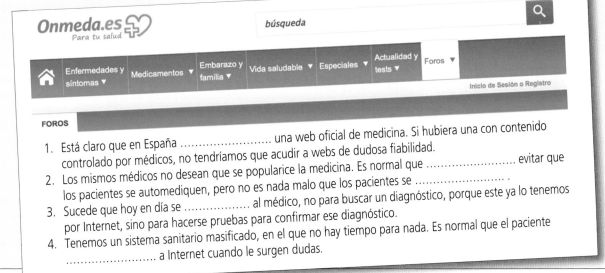

Onmeda.es Para tu salud

búsqueda

Enfermedades y síntomas ▼ | Medicamentos ▼ | Embarazo y familia ▼ | Vida saludable ▼ | Especiales ▼ | Actualidad y tests ▼ | Foros ▼

Inicio de Sesión o Registro

FOROS

1. Está claro que en España .... una web oficial de medicina. Si hubiera una con contenido controlado por médicos, no tendríamos que acudir a webs de dudosa fiabilidad.
2. Los mismos médicos no desean que se popularice la medicina. Es normal que .... evitar que los pacientes se automediquen, pero no es nada malo que los pacientes se ....
3. Sucede que hoy en día se .... al médico, no para buscar un diagnóstico, porque este ya lo tenemos por Internet, sino para hacerse pruebas para confirmar ese diagnóstico.
4. Tenemos un sistema sanitario masificado, en el que no hay tiempo para nada. Es normal que el paciente .... a Internet cuando le surgen dudas.

OPINA: ¿CON QUÉ ENTRADA ESTÁS MÁS DE ACUERDO?

7. Escribe tu entrada sobre la automedicación en el foro.

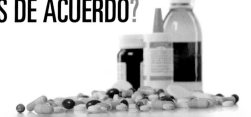

5

Comprensión **auditiva**

◗ **PREPÁRATE**

EL HOMBRE MÁS VIEJO DEL MUNDO

1. ¿Qué aspectos crees que son más importantes para tener una vida larga, para ser longevo? ¿Por qué?

2. Observa esta imagen. ¿Qué información puedes sacar?

PARA AYUDARTE

- Una dieta sana y equilibrada/sabrosa y apetitosa.
- Una vida cómoda/excitante.
- Una situación sentimental estable/cambiante.
- Una profesión interesante/calmada.
- Un estilo de vida activo/reflexivo.

Carmelo Flores Laura
Es el hombre más viejo del mundo. Tiene 123 años, ha vivido a lo largo de tres siglos y ha sido testigo de hechos históricos del último siglo. Asegura que el secreto de su longevidad es el consumo de cebada, quinua (un alimento andino rico en proteínas) y hojas de coca.

EL HOMBRE MÁS VIEJO DEL MUNDO
Relato de un abuelo que atravesó tres siglos
Por Norberto Chibi
Fotos: Juan Karita/AP y Aizar Raldes/AFP

Nació el 16 de julio de 1890 y vive en Bolivia a 130 km de La Paz, a 4 050 metros de altura.

◗ **COMPRENDE**

COMENTAN UNA NOTICIA DE LA RADIO

PISTA 🎧 8

Actividad interactiva de audio descargable en tuaulavirtual

tuaulavirtual

3. Escucha y completa la ficha.

Carmelo Flores

Nombre: ....
Nacionalidad: ....
Edad: ....
Número de hijos: ....
Ocupación: ....
Tipo de vivienda: ....
Dieta: ....
Alimentos que no toma habitualmente: ....

Quinua

Zorrino o mofeta

4. Completa las frases con palabras que hay en este extracto de la grabación.

«Fue padre de cinco hijos, abuelo de más de 40 nietos y con tantos biznietos que ya perdió la cuenta. Ahora sigue viviendo en una pequeña casa de barro al cuidado de su ganado, de los frutos de la pequeña parcela de la cual se alimentó siempre y se viste con ropas hechas a base de hilo de lana de oveja. El anciano insiste en que la cultura alimentaria del pueblo aimara fue la responsable de su longevidad...».

Carmelo con sus biznietos

Hojas de coca

Gorro quechua

1. El granjero vivía de las verduras que cultivaba en su ....
2. Llamar a alguien «viejo» puede resultar ofensivo, «...................» es una palabra más respetuosa.
3. El .... es un nombre colectivo para animales de granja, como vacas, ovejas o cabras.
4. Los niños hacían figuras de .... mezclando agua y tierra.
5. Las .... se crían por su lana y su leche, con la que se hacen quesos muy ricos.
6. Los .... son los hijos de tus nietos.
7. Las gentes de esta región son famosas por su ...., pasar de los 100 años no es raro.

5. Relaciona cada expresión con su significado.

RELACIONA

1. ¡Qué barbaridad!	**a.** Me da asco.
2. ¡Anda ya!	**b.** No me lo creo.
3. ¡Puaj!	**c.** No tengo ni idea.
4. ¿Quién sabe?	**d.** Me parece exagerado.

▶ **REFLEXIONA Y PRACTICA**

SI Y SOLO SI

6. Observa la estructura y completa estas frases.

1. Si ......inventaran...... una píldora de la juventud, todo el mundo la .... para mantenerse joven.
2. Si .... una dieta sana, ... nuestro estrés e .... más ejercicio, todos .... más y mejor.
3. ¿Qué .... si se .... el secreto de la eterna juventud?

CONDICIONES DE DIFÍCIL CUMPLIMIENTO

Si + pretérito imperfecto de subjuntivo + condicional
Si hiciéramos más ejercicio, estaríamos más en forma.

▶ **DEBATE**

UNA MEDICINA PARA NO ENVEJECER

7. ¿Qué pasaría si se descubriera una medicina para no envejecer jamás? Discute sobre las consecuencias de un descubrimiento así.

Ejemplo:
- Si la gente se mantuviera joven eternamente, desaparecerían los ancianos y habría un problema de exceso de población.
- Ya, pero imagina lo que sería vivir cientos de años con nuestra capacidad mental intacta: seríamos mucho más inteligentes, acumularíamos una enorme cantidad de conocimientos.

Evalúate

Total _____ / 37

1. Las oraciones condicionales con imperfecto de subjuntivo expresan condiciones que se consideran difíciles de cumplir o hipotéticas. Compáralas con las condicionales de presente, que expresan condiciones reales y posibles:
Si me toca la lotería, me iré a dar la vuelta al mundo (lo cree posible).
Si me tocara la lotería, me iría a dar la vuelta al mundo (lo cree poco probable).

2. A veces el uso de una u otra forma de condicional indica si la acción descrita es real o irreal:
Si es rico, no se nota (yo no sé si es rico, pero en todo caso no lo parece).
Si fuera rico, no vestiría ropa barata (yo sé que no es rico).

1. **Transforma las oraciones como en el ejemplo.**

No me baño porque el agua está muy fría (menos). *Si el agua estuviera menos fría, me bañaría.*

a. Estás gordo porque comes mucho pan (tanto). ....
b. No voy al concierto porque no tengo bastante dinero (suficiente). ....
c. Javier no hace ejercicio porque le duele la tripa (no doler). ....
d. No apreciáis el agua porque es gratis (costar dinero). ....
e. Los aimara son tan longevos porque viven a gran altitud (menos). ....
f. No ganamos los partidos porque no entrenamos lo suficiente (más). ....

/ 6

2. **Subraya la opción adecuada.**

a. Si te pones malo y no tienes/tuvieras seguro médico, tendrás que gastarte mucho dinero.
b. Si no hay/hubiera medicinas, ¿viviremos/viviríamos más o viviremos/viviríamos menos?
c. Nos dan/darían permiso para ir al médico si presentamos/presentáramos un justificante.
d. Si llegamos/llegáramos pronto, podemos/podríamos tomar un café antes de la reunión, pero lo dudo.
e. Yo no tengo ninguna enfermedad, pero si tengo/tuviera una crónica, consulto/consultaría en Internet.
f. La fiesta va a ser en el jardín, si no llueve/lloviera.
g. Llévate todos tus análisis, por si te los pide/pidiera el médico. Ya sabes que siempre los quiere ver.
h. Si tuvieras/tienes que elegir entre salud, dinero y amor, ¿qué eliges/elegirías?

/ 14

1. Por si (acaso): tiene valor causal e indica una situación hipotética, normalmente para tomar precauciones. Se usa con indicativo o con imperfecto de subjuntivo.
Llévate un jersey por si hace frío (más probable).
Llévate un jersey por si hiciera frío (menos probable).

2. Nexos de condición imprescindible para indicar que la condición debe cumplirse necesariamente o sin excepción: **siempre que, siempre y cuando, con tal de que, a condición de que.** Se usan frecuentemente para dar permiso con restricciones. No suelen expresar acciones hipotéticas, sino más bien reales.
Puede usted pasear un poco por la calle, siempre y cuando tenga mucho cuidado de no enfriarse.

3. Nexos de condición negativa: **salvo si** y **excepto si** con indicativo; **a no ser que** y **salvo que** con subjuntivo.
Sigue tomando estas pastillas, a no ser que desaparezca el dolor (si desaparece, entonces no tomes las pastillas).

3. Cambia *si… no* por la conjunción dada como en el ejemplo.

Si no me llama para cancelar la cita, nos vemos el martes a las tres (salvo que). *Salvo que me llame para cancelar…*

a. Si Juan no pide mi ayuda, yo no lo ayudaré (salvo si). ....

b. Si no mejora la situación económica, aumentará el paro (a no ser que). ....

c. No puedes entrar en el quirófano si no eres médico o enfermero (excepto si). ....

d. Puedes tomarte esta pastilla si no eres alérgico a este antibiótico (salvo que). ....

| / 4 |

4. Subraya el nexo condicional adecuado.

a. No creo que sea nada grave, pero salvo si/por si acaso lo es, deberías ir a urgencias.

b. Puedes levantarte, siempre y cuando/excepto que tengas cuidado de no caerte. Esto es muy importante.

c. Sigue con el mismo tratamiento, por si/a no ser que tu médico te lo cambie.

d. Llévate papel y boli a la consulta, por si/siempre que te dan explicaciones muy complicadas.

e. Te contaré el secreto, a condición de que/salvo que no se lo cuentes a nadie.

f. La cena será en el jardín, salvo si/salvo que llueve.

| / 6 |

ORACIONES IMPERSONALES DE CONSTATACIÓN Y DE VALORACIÓN

Usamos estas construcciones para confirmar que un hecho es cierto o dar nuestra valoración sobre un hecho.

Es evidente que esto está mal.
Es una lástima que tengas que irte.

con **ser**:   + sustantivo: *es una lástima que…*   + adjetivo: *es horrible/estupendo que…*
con **estar**:   + adjetivo: *está claro que…*   + adverbio (bien/mal): *está bien que…*

1. Con indicativo: principalmente de constatación en afirmativo.
   - *es verdad/evidente/obvio/cierto/seguro que…*
   - *está claro/visto/demostrado que…*
   - *sucede/ocurre/pasa que…*

2. Con subjuntivo: expresiones de valoración y las de constatación en forma negativa.
Es terrible que esta enfermedad no tenga cura.
No es verdad que el pelo, al cortarse, se haga más fuerte.

3. Con infinitivo: expresiones de valoración sin sujeto expreso (la oración se refiere en general a cualquiera).
Es malo hacer demasiado ejercicio después de comer.
Es un error intentar adelgazar muy rápidamente.

5. Une las frases como en el ejemplo.

Tienes fiebre. Es algo evidente. *Es evidente que tienes fiebre.*

a. La gente cada vez se automedica más. Eso está claro. ....

b. No se ha descubierto todavía una vacuna contra la malaria. Es una lástima. ....

c. Vamos a hacer el curso de primeros auxilios juntas. ¡Es estupendo! ....

d. El paciente ha leído en Internet cosas que el médico no sabe. Esto ocurre a veces. ....

e. Lidia ha perdido cinco kilos en una semana sin hacer régimen. Es increíble. ....

f. Dicen algunos que el envejecimiento puede detenerse. No está claro. ....

g. A veces se toma el sol sin protección. Eso es peligroso. ....

| / 7 |

PIENSA EN TU SALUD

1. Relaciona las palabras con sus definiciones.

> • análisis • consulta • diagnóstico • dieta • enfermedades graves • hipocondriaco • síntomas • tratamiento

1. Dolor, fiebre alta, molestias, mareo, vómitos, perder el apetito, etc., todos son ....

2. Cuando un médico identifica la enfermedad o problema de salud del paciente, hace un ....

3. Examen o estudio de una sustancia, como la sangre: ....

4. Lugar donde el médico atiende a sus pacientes: ....

5. Persona obsesionada con las enfermedades: ....

6. Bronquitis, depresión, diabetes, faringitis y neumonía son .... Hay que ir a un especialista.

7. Si tienes el colesterol alto, además de hacer una .... alimenticia, tienes que seguir un .... específico.

2. Relaciona los tipos de enfermedades con su explicación y anota otras enfermedades del mismo tipo.

RELACIONA

1. Enfermedad crónica	**a.** Genética: la hemofilia…
2. Enfermedad contagiosa	**b.** Habitual, larga, para toda la vida: la epilepsia…
3. Enfermedad grave	**c.** Importante, seria: el ataque al corazón…
4. Enfermedad hereditaria	**d.** Poco importante: el constipado…
5. Enfermedad leve	**e.** Psicológica: la depresión, el ataque de ansiedad…
6. Enfermedad mental	**f.** Que se transmite o comunica fácilmente: el sida, la gripe…

3. Completa el texto con estas palabras.

> • ambulatorio • análisis • cirujano • cita • consulta • diagnóstico • escayolar • esguince • especialista • farmacia • médico de familia • pruebas • profunda • psiquiatra • puntos • quirófano • radiografía • recetará • sala de espera • síntomas • tensión • urgencias

GOBIERNO DE ESPAÑA — MINISTERIO DE ASUNTOS EXTERIORES Y DE COOPERACIÓN

Inicio | Contacto | Mapa del sitio | Suscripción Alertas | Buscar

Ministerio | **Política Exterior y Cooperación** | **Servicios al Ciudadano** | **Sala de Prensa**

Está usted en: INICIO > SERVICIOS AL CIUDADANO > SI VIAJAS AL EXTRANJERO

Si viajas al extranjero

> ¿Qué debo hacer antes de viajar al extranjero?
> ¿Qué debo hacer durante el viaje al extranjero?
> Inscríbete en el Registro de Viajeros
> Qué debo hacer en caso de emergencia
> Qué puedo/no puede hacer un Consulado por ti
> Campaña divulgativa 'Viaja seguro'
> Embajadas extranjeras acreditadas en España

Actualidad

> El Ministerio modifica su estructura interna por la entrada en el Consejo de Seguridad
> Jesús Gracia asiste al lanzamiento del Año Europeo del Desarrollo
> Actividad del Consejo de Seguridad de las Naciones Unidas

Instrucciones para cuando vas al médico

Si te sientes enfermo, debes llamar por teléfono para pedir una .... ¹ con el .... ². En el día y a la hora indicados, debes acudir a tu .... ³, a su .... ⁴, y esperar tu turno en la .... ⁵. Cuando el médico te reciba, debes contarle todos los .... ⁶ que notas. Es posible que el doctor te mande .... ⁷, como por ejemplo un .... ⁸ de sangre, una radiografía o tomarte la .... ⁹, y luego hará un .... ¹⁰, que es identificar qué enfermedad tienes. A continuación, te .... ¹¹ unas medicinas para que las compres en la .... ¹². Si, por el contrario, el médico de familia observa que el diagnóstico es difícil, te mandará que acudas a un .... ¹³, como un traumatólogo para los dolores o golpes, o un .... ¹⁴, para las enfermedades mentales. Si necesitas una operación, un .... ¹⁵ se encargará de ello.

Si, por el contrario, tienes una urgencia, porque tienes una herida .... ¹⁶ y te tienen que dar unos .... ¹⁷ o has tenido una caída, tienes un hueso fracturado y te tienen que .... ¹⁸, o incluso por enfermedades más graves, ve directamente a un hospital al servicio de .... ¹⁹. Allí te atenderá el personal médico, te harán una .... ²⁰ para ver la rotura del hueso y, si solo es un .... ²¹, te pondrán una venda o te mandarán al .... ²² si se precisa una operación. La asistencia médica de urgencias en España es universal, atiende a todos los pacientes.

TEN A PUNTO TU BOTIQUÍN

Léxico

4. Observa las imágenes y escribe los nombres de los tratamientos de primeros auxilios.

a.

b.

c.

d.

e.

f.

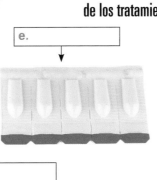

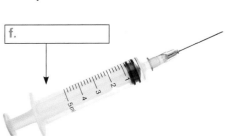

HABLA DE LA EDAD

5. Completa con las palabras dadas.

> viejo > vejez > envejecer > envejecimiento

1. Lo malo de la .... es que la salud muchas veces se deteriora.

2. El .... de la población española es alarmante: cada vez hay menos niños y más ancianos.

3. En los últimos cinco años, mi padre ha .... mucho. Ya no tiene ni la mitad de la energía que tenía antes.

4. Un argentino llama a su padre «........................» cariñosamente, pero en España esta palabra se aplica a un hombre muy mayor o anciano, y no suena nada respetuosa.

6. Cuestión de opinión: pon la edad e indica qué caracteriza cada periodo del ser humano.

la infancia ....
la adolescencia ....
la juventud ....
la madurez ....
la vejez o tercera edad ....

PARA AYUDARTE

- La arruga
- Las canas
- La generación
- Recién nacido/casado
- Maduro/a
- Anciano/a
- Juvenil
- Rebeldía

7. Coloca en orden de mayor a menor edad las palabras siguientes.

Cuando ya perdemos la cuenta de las generaciones que separan a dos personas, hablamos de «antepasados» y de «descendientes». ¿Dónde colocarías estas palabras en la lista?

➕

☐ bisabuelo/a
☐ biznieto/a
☐ tatarabuelo/a
☐ abuelo/a
☐ nieto/a
☐ tataranieto/a
☐ padre/madre
☐ hijo/a

➖

8. Escribe cinco frases verdaderas sobre tu familia u otras familias famosas (reyes, actores, etc.), usando las palabras de la lista.

Un bisabuelo mío se llamaba Vicente y fue pintor. No sé nada de su padre, mi tatarabuelo.

1.

2.

3.

4.

5.

PREPÁRATE: EL SECRETO DE LA LONGEVIDAD

1. Lee, infórmate y responde a las preguntas.

ÍNDICE DE MORTALIDAD

La esperanza de vida de los españoles se estabiliza en torno a los 82 años

Madrid, Navarra y Castilla y León se sitúan a la cabeza por encima de los 83 años de media, mientras Ceuta y Melilla se estancan en los 80

07.03.14 - 14:43 - AGENCIAS |

★★★★★ 0 votos

💬 Comenta esta noticia | 🐦 Twittear 3 | g+1 0 | Compartir | 📘 Recomendar 0

Los españoles viven una media de 82,2 años, según el *Informe sobre Salud en Europa* de la Organización Mundial de la Salud. Muchos expertos opinan que la dieta mediterránea es un factor decisivo para aumentar la longevidad de los españoles. La situación podría cambiar por factores de riesgo, como el tabaco, y advierten de que en España se fuma mucho. Países pequeños, como San Marino, Andorra o Singapur, tienen los niveles más altos del mundo de esperanza de vida.

PARA AYUDARTE

alimentación, tranquilidad/estrés, relaciones sociales y afectivas, genes, atención sanitaria, higiene, ejercicio, sensación de sentirse útil…

- ¿De qué factores depende la esperanza de vida? Según tu opinión, ¿cuáles de estos factores son más/menos importantes?
- ¿A qué renunciarías para alargar tu vida, a qué no? Haz una lista individual y luego compárala con la de tu compañero. ¿En qué os parecéis y en qué os diferenciáis?
- Imagina que vas a vivir unos doscientos años. ¿Qué ventajas y desventajas le ves a una vida tan larga?

PISTA 9

tuaulavirtual

2. Escucha y opina: la cirugía estética para ocultar los signos de la vejez.

Actividad interactiva de audio descargable en tuaulavirtual

- ¿Estás a favor o en contra de la cirugía estética?
- ¿Debemos ocultar los signos de la edad? ¿Hay algún límite?
- ¿En qué casos es recomendable y en cuáles no debería hacerse?
- ¿Por qué crees que quiere tanta gente parecer más joven de lo que es realmente?
- Elabora una lista de aspectos positivos y negativos de querer parecer más joven de lo que se es.

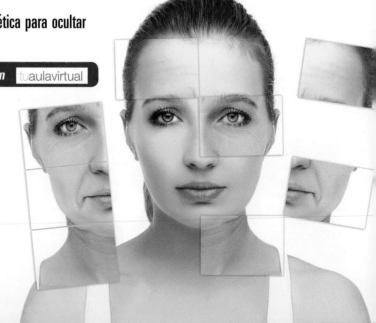

TERTULIA

3. Debate sobre el papel de jóvenes y ancianos en la sociedad. Lee y opina.

Juventud, divino tesoro

El secreto de *la eterna juventud*

Si nos ofrecieran el secreto de la eterna juventud, ¿quién lo rechazaría? Probablemente nadie, porque se ha buscado siempre en la historia de la humanidad. Pero ¿qué entendemos por la eterna juventud? ¿Consiste en mantenerse sano el mayor tiempo posible? ¿Se trata de parecer joven y ocultar los signos del envejecimiento?

En otras épocas, la sociedad mostraba gran respeto por los ancianos. Los jóvenes intentaban parecerse a los mayores e imitarlos. Hoy día en la cultura occidental a veces parece que ser viejo es algo horrible y feo. Y es la gente mayor la que intenta vestirse y actuar como los jóvenes.

- ¿Estás de acuerdo o en contra de esta apreciación? Piensa en distintos aspectos de la vida actual: moda, gente famosa y admirada, quién crea tendencia, a qué público se dirigen las campañas publicitarias, el cine, etc.

4. Discute con tus compañeros en grupos y prepara en tu grupo una comunicación (resumen de vuestras ideas) para toda la clase.

En nuestro grupo hemos llegado a las siguientes conclusiones. Para empezar, …

5

Expresión **escrita**

ESQUEMA DE UNA CARTA A UN PERIÓDICO

1. Observa el esquema y coloca el título de cada apartado en el párrafo adecuado.

a. DESCRIBIR ALGO SOBRE TI
b. DESCRIBIR EL MOTIVO DE TU QUEJA/FELICITACIÓN, ETC.
c. DESCRIBIR TUS SENTIMIENTOS

d. DESPEDIRTE
e. EXPLICAR TU PROPÓSITO
f. PEDIR QUE (NO) SE HAGA ALGO

1. _____

El propósito de esta carta es hacerle saber/sugerirle/agradecerle que.../expresar mi decepción con.../protestar por...
He leído su artículo del 2 de diciembre sobre el abuso de la automedicación y me parece que...

2. _____

En su editorial/artículo/programa de.../publicado el.../que se emitió el...

3. _____

Como lector(a)/espectador(a) que.../profesional con muchos años de experiencia en.../persona sensibilizada con...

4. _____

a. *Negativos:*
- sus palabras me parecen intolerables/de mal gusto
- estoy indignado/asombrado por...
- la descripción que hace de... es injusta/errónea

b. *Positivos:*
- Le felicito por su...
- Su tratamiento de... es muy adecuado/Su información es clara y veraz.

5. _____

Negativo: Le pido que sea de aquí en adelante más respetuoso.../no utilice palabras despectivas.
Positivo: Le animo a mantener esta línea/seguir apoyando a...

6. _____

Atentamente,

Expresión
escrita

2. Lee esta carta y localiza los elementos anteriores.

D. Pedro Rodríguez
Director de *Salud y Vida*

Maribel Ortiz
C/ La Oca, 3
28003 Madrid

3 de febrero de 2015

Estimado Sr. director:

El propósito de la presente no es otro que mostrarle mi estupor por una de sus publicaciones recientes.

He leído con asombro el artículo sobre dietas de adelgazamiento publicado en su revista el día catorce y me parece que se hacen observaciones muy irresponsables. En el citado artículo, se recomienda no comer nada más que fresas durante una semana. Como médica nutricionista con amplia experiencia, estoy muy preocupada por el efecto que puede tener su artículo sobre personas con escasa formación que puedan tomarlo en serio. La dieta indicada puede ser extremadamente peligrosa para determinadas personas y, en general, no es eficaz para nadie.

Le pido que rectifique el contenido de este artículo en su próxima edición y que tenga más cuidado en el futuro con las recomendaciones que hace su revista en materia de salud.

Le saluda atentamente,

Dra. Maribel Ortiz

REDACTA TU CARTA

3. En un periódico has leído una de estas frases en un artículo (escoge una o, si prefieres escribir sobre otro tema que te afecte, consulta con tu profesor). Escribe una carta para expresar tu opinión.

Los tratamientos de cirugía estética deberían ser gratis y pagados por el Estado.

No hagas caso de las «dietas milagrosas» de las revistas. Lo mejor siempre es acudir al médico.

Se crea una página web del Ministerio de Sanidad para dar información de calidad a los pacientes.

¡Exclusiva!: El secreto de la eterna juventud se encuentra en la sangre de los ratones.

6

REDES E INTERNAUTAS

El uso de Internet

EXTENSIÓN CULTURAL

Competencia **pragmática**	Competencia **lingüística: gramática**	Competencia **lingüística: léxico**	Competencia **sociolingüística**
▶ elegir tus medios de co-municación ▶ valorar datos ▶ escribir una protesta	▶ formas en –se del imper-fecto de subjuntivo ▶ usos del imperfecto de subjuntivo ▶ comparativos y superlati-vos	▶ los medios de comunica-ción ▶ la prensa ▶ la expresión verbal	▶ las redes sociales ▶ el periodismo ciudadano ▶ el intrusismo profesional

¿CÓMO PREFIERES INFORMARTE?

Marca qué haces habitualmente para estar informado.

- ☐ Leer la prensa generalista diariamente o con bastante frecuencia.
- ☐ Leer periódicos y revistas especializadas.
- ☐ Escuchar la radio.
- ☐ Consultar las páginas web y la prensa digital.
- ☐ Recibir y enviar las noticias más relevantes mediante las redes sociales.
- ☐ Ver el telediario y algún documental de la tele.

¿CUÁL ES LA DIFERENCIA ENTRE EL PERIODISMO EN LA RED Y LA PRENSA ESCRITA?

Haz una lista de las características de cada medio.

EL PAÍS

EL MUNDO

NUEVOS MEDIOS DE COMUNICACIÓN:
LAS REDES SOCIALES

1. Lee este artículo.

PORTALTIC | SOCIALMEDIA
TODO SOBRE LA TECNOLOGÍA

You Tube · 🐦 · f · Buscar

Lunes, 9 de Marzo 2015 · Editado por **europa**

Internet · Social Media · Gadgets · Videojuegos · Software · Empresa · Administración · Sector · PortalGeek

¿CÓMO CONSUMIMOS NOTICIAS EN ESPAÑA?

Los españoles consumen noticias a través de canales digitales cada vez más diversos. Si hace unos años el acceso a la información en Internet prácticamente se limitaba a las ediciones web de los periódicos, hoy se consolida como el medio superior: recibir noticias a través de las redes sociales, al menos una vez por semana, con una especial aceptación entre los menores de 35 años.

Las redes sociales empatan prácticamente en popularidad como fuente informativa con los sitios web y aplicaciones móviles de periódicos en Internet y con los propios periódicos impresos. Sin embargo, no superan a la televisión generalista, que se mantiene como el supermedio para recibir noticias. Todos estos medios quedan claramente por delante de otras modalidades, frente a medios ahora infrautilizados: la radio, los blogs o las revistas impresas, entre otros.

El acceso digital a las noticias se sigue realizando principalmente desde ordenadores, pero emergen con fuerza los teléfonos inteligentes o *smartphones* y las tabletas.

España destaca por algunas particularidades. La principal es el valor que otorgan los internautas a la credibilidad personal de los periodistas. Es el único país donde el público afirma estar más atraído por la identidad de los periodistas que por las marcas informativas. También se advierte una inclinación por el periodismo plural e imparcial: la mayoría dice preferir «noticias en las que el reportero intenta reflejar una variedad de opiniones, no se extralimita en sus comentarios y deja en manos del lector o el espectador la decisión de decantarse por alguna de ellas», frente al gusto por «noticias en las que el reportero defiende un punto de vista y proporciona pruebas a favor del mismo».

En cuanto a formatos informativos, los usuarios de Internet se muestran cada vez más receptivos ante los contenidos multimedia e interactivos. España también sobresale como uno de los países donde los usuarios prefieren participar de formas muy diversas. Destacan cuatro actividades en redes sociales: difundir noticias, comentarlas, valorarlas y conversar sobre ellas con amigos y compañeros. En cambio, es inferior el número de españoles que afirma comentar noticias en publicaciones digitales, o publicar fotos o vídeos en sitios web periodísticos.

2. Marca: ¿verdadero o falso?

	V	F
1. Las noticias en Internet ahora ya no solo llegan a través de los periódicos digitales.	☐	☐
2. Los menores de 35 años solo se informan a través de las redes sociales.	☐	☐
3. El uso de la televisión ya no es mayoritario como medio de información.	☐	☐
4. Los blogs son minoritarios como fuente de noticias.	☐	☐
5. El consumo digital de noticias empieza por los teléfonos móviles.	☐	☐
6. A los españoles les gusta más el periodismo de opinión que el de información.	☐	☐
7. Para los españoles es muy importante saber quién da la noticia.	☐	☐
8. A los españoles les gusta participar de alguna manera en la difusión de una noticia.	☐	☐

3. Relaciona las siguientes palabras con sus definiciones.

RELACIONA

1. Consolidarse
2. Limitarse
3. Empatar
4. Decantarse

a. No hacer otra cosa.
b. Decidirse.
c. Igualar un resultado.
d. Hacerse más fuerte.

4. Elige el significado que estas palabras tienen en el texto.

1. «Las redes sociales empatan prácticamente en popularidad».
  ☐ **a.** aceptación   ☐ **b.** uso   ☐ **c.** ventas

2. «El valor que otorgan los internautas españoles a la credibilidad de los periodistas».
  ☐ **a.** Los periodistas confían en la gente.   ☐ **b.** La gente confía en los periodistas.   ☐ **c.** Los periodistas y los lectores se creen mutuamente.

3. «Los usuarios de Internet se muestran cada vez más receptivos ante los contenidos multimedia».
  ☐ **a.** decididos   ☐ **b.** desconfiados   ☐ **c.** interesados

5. Explica con tus propias palabras, poniendo un ejemplo.

- PERIÓDICOS IMPRESOS
- PERIÓDICOS DIGITALES
- USUARIOS

FÍJATE EN LA GRAMÁTICA

6. Observa las palabras comparativas y superlativas, mediante *super, infra, extra, superior, inferior.*

- La televisión generalista, que se mantiene como el supermedio para recibir noticias.
- Hay un medio superior: recibir noticias a través de las redes sociales.
- El reportero intenta reflejar una variedad de opiniones, no se extralimita en sus comentarios.
- Es inferior el número de españoles que afirma comentar noticias en publicaciones digitales.

7. Forma frases, expresando tu opinión sobre el uso de tecnologías de la información, empleando palabras comparativas y superlativas.

- TELEVISIÓN/RADIO, SUPERIOR/INFERIOR
- BLOG, UTILIZADO/INFRA
- TWITTER, CONOCER/SUPER

OPINA: TU MEDIO DE COMUNICACIÓN

8. ¿Qué medios de comunicación prefieres? ¿Por qué?

- ESCUCHAR LAS NOTICIAS EN LA RADIO.
- VER EL TELEDIARIO.
- LEER EL PERIÓDICO EN PAPEL.
- ECHAR UN VISTAZO A LA PRENSA DIGITAL.
- INFORMARTE A TRAVÉS DE LAS REDES SOCIALES.

▶ **PREPÁRATE**

¿CONOCES EL PERIODISMO CIUDADANO?

1. ¿Qué crees que significa la expresión?

Ciber **sC** orresponsales
RED SOCIAL DE JÓVENES PERIODISTAS

Email: _____   Contraseña: _____   Entrar   Olvidé mi contraseña

Buscar

¿Qué es el periodismo ciudadano?

Movimiento periodístico en el que las ciudadanas y los ciudadanos, testigos de un hecho, se convierten en informadores/as de inmediato. Cobran auge las publicaciones en las que, en distintos soportes digitales, ciudadanos de a pie exponen su visión de diversos asuntos sociales, culturales, políticos, económicos, locales, deportivos, etc. Además, muchos medios digitales, algunos de los cuales tienen edición escrita (especialmente los llamados *medios gratuitos*) fomentan la participación ciudadana a través de espacios alojados en sus páginas web para que las lectoras y los lectores den su visión de diversos acontecimientos. Existen muchos debates sobre si esta participación ciudadana puede considerarse periodismo, por el mero hecho de que no es profesional.

NUESTRA ÚNICA ARMA ES LA REALIDAD ANTE ELLA , NO HAY DEFENSA POSIBLE

GRABA FOTOGRAFÍA DIFUNDE

Extraído y adaptado de www.cibercorresponsales.org/pages/que-es-el-periodismo-ciudadano

2. Marca qué significan las siguientes expresiones.

1. **El mero hecho**	**a.** el simple hecho	**b.** un hecho evidente	**c.** un hecho sin importancia
2. **De inmediato**	**a.** con prisa	**b.** rápido	**c.** imprevisto
3. **Prensa digital**	**a.** prensa en Internet	**b.** prensa escrita	**c.** prensa independiente
4. **Periodista especializado**	**a.** se dedica a cualquier tema	**b.** se dedica solo a un tema	**c.** es un profesional independiente
5. **Ciudadano de a pie**	**a.** que no va en coche	**b.** anónimo	**c.** pobre, de pocos recursos
6. **Testigo**	**a.** espectador	**b.** que tiene memoria	**c.** que ha visto algo
7. **Debate**	**a.** polémica	**b.** estudios	**c.** movimiento

▶ **COMPRENDE**

LOS CIUDADANOS REPORTEROS

PISTA 🎧 10 | *Actividad interactiva de audio descargable en* tuaulavirtual

3. Escucha y responde a las preguntas.

1. ¿Por qué el periodismo ciudadano está vivo?

2. ¿Qué hace quien saca una fotografía de un avión accidentado?

3. ¿Qué consejo da a la prensa digital con pocos redactores?

4. ¿En qué deben especializarse los medios digitales?

5. ¿Qué periodismo es mejor, el impreso o el digital?

6. ¿Qué es lo que ha cambiado con el periodismo digital?

7. ¿Qué es estar bien informado?

4. Completa con la información que falta.

1. Pero si eres el único que ha tomado una imagen del avión que se ha estrellado en un río has hecho ………………................……… .

2. Céntrate en lo que haces mejor y, para lo demás, ………………................……… .

3. Y los que sostienen lo contrario me recuerdan a los que ………………................……… a los coches.

4. Ahora todos los usuarios tienen información, y depende de nosotros ………………................……… .

5. Ahora el proceso empieza acercándose a una comunidad para saber qué quiere, qué necesita, con la certeza de que hemos mejorado, o ………………................………, la vida de muchas personas.

5. Relaciona estas palabras con sus definiciones.

RELACIONA

1. Centrarse	**a.** Contener.
2. Compartir	**b.** Defender una idea.
3. Sostener	**c.** Dirigir el interés hacia algo concreto.
4. Abarcar	**d.** Participar.
5. Redefinir	**e.** Volver a definir.

▶ **REFLEXIONA Y PRACTICA**

OJALÁ LO SUPIERA

6. Fíjate en estos usos del pretérito imperfecto de subjuntivo.

Quizá algunos ciudadanos supieran cosas que solo conocían ellos (es una suposición sobre un hecho que sucedió en el pasado).

Ojalá los periodistas digitales se especializaran (es un deseo respecto de un hecho futuro).

7. Formula deseos y suposiciones sobre el periodismo digital usando el pretérito imperfecto de subjuntivo.

Me gustaría que los periódicos digitales…

Ojalá Internet…

Es posible que antes los lectores de la prensa de papel…

Quizá…

▶ **DEBATE**

¿TE GUSTARÍA PARTICIPAR EN EL PERIODISMO CIUDADANO?

8. Expresa tus propias opiniones sobre el periodismo ciudadano tocando los siguientes puntos.

• Participación de los lectores.

• Cantidad de información.

• Confianza en las fuentes de información.

• Calidad de la información.

• Acceso inmediato a las noticias.

• Manipulación de la información.

EL PRETÉRITO IMPERFECTO DE SUBJUNTIVO EN -*SE*

El imperfecto de subjuntivo tiene dos formas. Significan lo mismo.

Ojalá volvieran a poner ese documental tan bueno = Ojalá volviesen a poner ese documental tan bueno.
Me interesaría que me hablaras de tu experiencia = Me interesaría que me hablases de tu experiencia.

1. Transforma el pretérito imperfecto de subjuntivo en estas frases a la forma en -*se*.

a. Ojalá pudierais venir con nosotros de excursión.

b. Me encantaría que retransmitieran el partido por la tele en abierto.

c. Me encantaría que tuvieras suerte con el examen.

d. Ojalá pudiera grabar ese programa tan raro.

e. Querría que fuéramos juntos al cine.

/ 5

EL IMPERFECTO DE SUBJUNTIVO CON VALOR DE DESEO, CON ADVERBIOS DE DUDA Y CON VALOR DE CORTESÍA

1. Puede indicar un deseo:
- improbable en el futuro *(Ojalá mañana no lloviese).*
- irreal en presente o de forma general *(Quién pudiera comprarse un Ferrari).*
- imposible porque se refiere al pasado *(Espero que su padre nunca supiera lo que pasó).*

2. Con adverbios de duda (tal vez, quizá) o expresiones de suposición (es posible que, puede que), indica un hecho muy poco probable, referido al pasado *(Tal vez lo supiese)*. Contrasta con el indicativo, que expresa un mayor grado de probabilidad.
3. También puede expresar cortesía en un lenguaje muy formal *(Quisiera un pantalón rebajado)*. Es el único uso en el que no se puede usar la forma en -*se*.

2. Expresa deseos utilizando el pretérito imperfecto de subjuntivo.

a. Me gustaría desconectar una semana en una isla del Caribe.

b. Quiero ahorrar más este mes.

c. A ver si tengo suerte con los exámenes.

d. Su sueño es que su hijo termine la carrera.

e. No quiere que nadie lea el mensaje que ha recibido en el móvil.

f. Su ambición es ascender en la empresa.

/ 6

3. Formula hipótesis a partir de las siguientes situaciones utilizando el pretérito imperfecto de subjuntivo.

a. No ha venido a la reunión y es raro.

b. Nadie le ha contado nada, pero parecía enterado de todo.

c. A lo mejor lo sabía todo.

d. Debía de estar muy nervioso para responderte así.

e. Suponemos que leyó el falso rumor en una red social.

f. El médico sospecha que le sentó mal la cena.

/ 6

4. Señala qué tiempo (pasado, presente o futuro) y modo (deseo, duda o cortesía) expresan las siguientes frases.

a. Espero que sus padres no se enterasen nunca de lo que sucedió con su hijo.

b. No sabemos lo que pasó. Quizá estuviera enfermo.

c. Quisiera que me informasen de ese viaje.

d. Ojalá mañana ganase mi equipo.

e. Quién tuviera veinte años menos.

f. Ojalá mi sobrina aprobase el examen ayer.

g. Es posible que no fuese un error y lo hiciera intencionadamente.

/ 7

COMPARATIVOS IRREGULARES Y SUPERLATIVOS

1. Se expresa el superlativo relativo mediante la comparación el más/menos... de y ser el más/menos... de (*el más rico de su país*); con la comparación de igualdad usamos igual de (*este coche es igual de rápido que este otro*).

2. Además de los comparativos irregulares que ya conoces (*bueno, mejor; malo, peor; grande, mayor; pequeño, menor*), existen otros, como *superior, anterior, posterior, inferior*. Los superlativos *óptimo, pésimo, máximo* y *mínimo* conviven con los irregulares *mejor, peor, mayor* y *menor*, y se emplean más en lenguajes especializados, como las ciencias o la economía.

3. La comparación también se puede expresar mediante prefijos superlativos *super-, extra-, re-, requete-, archi-, ultra-, mega-* o *hiper-*.

Super es el que más se emplea en la lengua coloquial: supermoderno.
Hiper valora la dimensión, es más que super, es más científico: hipertensión.
Archi es más culto: archiconocido.
Ultra es más propio del lenguaje científico: ultrasensible.

Asimismo, el sufijo *-ísimo* permite la formación del superlativo absoluto en adjetivos terminados en -ble con la forma -bilísimo: *amable*, amabilísimo.

4. Igualmente podemos emplear sufijos apreciativos: *-ón/-ona* (grandón, grandona, guapetón, guapetona), *-ajo/-aja* (pequeñajo, pequeñaja, chiquitajo, chiquitaja). En la lengua coloquial es común emplear el sufijo *-ón* para palabras femeninas cuando se quiere dar una nota muy expresiva: *subida*, subidón; *patada*, patadón.

5. **Sustituye las palabras marcadas por un superlativo, haciendo los cambios necesarios.**

a. Cree que es más valioso que los demás.

b. Los trata como si fueran menos importantes que él.

c. Es un problema que sucedió antes.

d. La mejoría de su enfermedad fue después de que le dieran el tratamiento.

e. Han decidido cambiar la imagen más hacia fuera de la compañía.

f. Hace más frío en las regiones más de dentro de la península.

/ 6

6. **Sustituye *muy* o *mucho* por un prefijo superlativo, sin repetir ninguno.**

a. Es un escritor muy conocido en el mundo literario.

b. Iremos a un restaurante muy innovador en el centro de la ciudad.

c. Está muy preocupado por la tensión arterial.

d. Hemos probado un chocolate muy fino del que hablaba el periódico.

e. Se ha pintado mucho la cara con demasiado maquillaje.

f. Han diseñado un material muy ligero.

/ 6

7. **Subraya las opciones correctas.**

a. La prensa digital es igual/igual de buena que la prensa de papel.

b. Es el canal de televisión más interesante que/en/de su país.

c. Las nueve de la noche es la hora de máxima/óptima audiencia.

d. Las temperaturas máximas/mayores del sur de España superan los 40 grados en verano.

e. La empresa no ha alcanzado aún el grado mejor/óptimo de crecimiento.

f. Darle las gracias es lo menor/mínimo que podías hacer.

/ 6

Léxico

¿PRENSA ESCRITA O AUDIOVISUAL?

1. Señala las diferencias entre estos tipos de comunicación.

RADIOFÓNICA  **ESCRITA**  **TELEFÓNICA**  **ORAL**  **AUDIOVISUAL**

2. Clasifica estas palabras por el medio de comunicación.

- artículo de fondo
- culebrón
- edición de tarde
- grabar
- lector
- parte meteorológico
- portada
- redactor
- suplemento cultural

- cambiar de canal
- debate
- emisión
- hojear
- locutor
- pasar página
- presentador
- reportero gráfico
- titular

- concurso
- documental
- emisora
- imprimir
- oyente
- pie de foto
- primera página
- rotativa
- zapear

AUDIOVISUAL

PRENSA ESCRITA

TIPOS DE NOTICIAS

3. Relaciona las palabras con su significado.

RELACIONA

1. Rumor
2. Dato
3. Anécdota
4. Comentario

a. Información concreta.
b. Opinión.
c. Hecho curioso y poco importante.
d. Noticia no confirmada.

4. Pon ejemplos o señala características de los siguientes tipos de noticia.

FIABLE

EXTRAOFICIAL

OFICIAL

DE ÚLTIMA HORA

EXCLUSIVA

5. Relaciona los contrarios.

RELACIONA

1. Afirmación
2. Callar
3. Debate
4. Enviar
5. Introducción
6. Petición
7. Prudente
8. Silencio
9. Verdad

a. Aceptación
b. Conclusión
c. Contar
d. Indiscreto
e. Mentira
f. Monólogo
g. Negación
h. Recibir
i. Ruido

SECCIONES DE UN PERIÓDICO

6. Completa los espacios en blanco con estas palabras.

CARTAS AL DIRECTOR

NOTICIA

EDITORIAL

TITULAR

CRÓNICA

PORTADA

REPORTAJE

PIE DE FOTO

La noticia periodística se compone de los siguientes elementos: ....: nos dice de qué trata la noticia, si es una fotografía, tiene un ...., un comentario breve sobre la imagen. La primera página se llama .... En el periodismo de opinión tenemos la columna, el ...., que no va firmado, y las ...., escritas por los lectores.

La .... es, esencialmente, un tipo de narración periodística más rico que el de la .... pura; es un género típico de los corresponsales y enviados especiales, así como de ciertos cronistas especializados: deportes, espectáculos, cultura, vida social. En el .... nos referimos a una información amplia, a menudo sobre temas diferentes.

7. Relaciona para formar cinco expresiones.

RELACIONA

1. Mantener, establecer
2. Comunicarse
3. Formular
4. Conocer
5. Enterarse de

a. personalmente/diariamente/oralmente/por escrito.
b. la comunicación/el contacto.
c. por casualidad/casualmente/por la prensa.
d. un rumor/un dato.
e. una noticia/una pregunta/una crítica.

8. Clasifica los siguientes tipos de textos periodísticos, según sean del periodismo de información o de opinión.

• crónica • crítica • carta al director • artículo de fondo • noticia de actualidad
• editorial • cartelera • parte meteorológico • telediario • documental

INFORMACIÓN	OPINIÓN

PROFESIONALES DE LA INFORMACIÓN

9. Relaciona.

RELACIONA

1. Cámara
2. Redactor
3. Enviado especial
4. Corresponsal
5. Reportero

a. Escribe noticias.
b. Se informa sobre el terreno.
c. Vive en un país extranjero.
d. Viaja para seguir un acontecimiento.
e. Hace fotos o graba vídeos.

Expresión
oral

PREPÁRATE: NO TE FÍES

1. Lee este texto y responde las preguntas.

Internet es uno de los medios de comunicación más utilizados para buscar información. Sin embargo, hay que tener mucho cuidado con la red, ya que es una fuente muy variable y la información recogida ha de estar bien contrastada.

Internet es un medio libre al que todo el mundo puede acceder fácilmente, escribir sus opiniones y experiencias. Es por ello por lo que resulta imprescindible conocer datos acerca del autor del texto que recogemos, como su experiencia profesional; si se trata de un experto en el tema, un bloguero, un docente, etc. Si no tenemos disponible esta información, podemos consultar la bibliografía en la que puede haber referencias a otros autores, de quien confiamos en la veracidad de su información.

La Wikipedia es un mal ejemplo de fuente de información en Internet y algo que, si queremos ser rigurosos, no deberíamos incluir como fuente. Es denominada *enciclopedia libre*, ya que en ella puede escribir aparentemente cualquier persona y sin ningún tipo de filtro, *a priori*, que controle la veracidad de la información publicada. Uno de los ejemplos más sonados es el caso del Premio Nobel de Literatura de 2010. Antes de que el galardón fuese entregado, Wikipedia recogía que el ganador era el sueco Tomas Tranströmer, algo que se comprobó que era falso un tiempo después cuando recibió el premio el peruano Mario Vargas Llosa.

1. ¿Qué fuente de Internet es más fiable?
2. ¿Piensas que las noticias de Internet son siempre fiables?
3. ¿Qué medios de la red (blogs, redes sociales, periódicos digitales) utilizas para estar informado?
4. ¿Qué tipos de noticias prefieres buscar en Internet?

2. Escribe una frase con tu opinión sobre cada uno de estos temas.

¿Los medios dicen la verdad?
¿El exceso de información hace imposible contrastar todas las noticias?
¿Estamos ahora más informados que antes con Internet?
¿Estamos ante el final de la prensa de papel?
¿Las noticias han de ser gratis o de pago?

PARA AYUDARTE

• Estoy de acuerdo con lo de que… (+ *indicativo*) porque…
• No estoy (en absoluto) de acuerdo con lo de que… (+ *subjuntivo*) porque…

TERTULIA

Expresión oral

3. Debate sobre el futuro de la prensa.

¿El final de la prensa escrita?

PARA ELLO, DIVIDIMOS LA CLASE EN DOS GRUPOS QUE DEFENDERÁN UNA
POSTURA: A FAVOR O EN CONTRA DE LA PRENSA ESCRITA.
DISCUTE LAS SIGUIENTES IDEAS:

LOS PERIÓDICOS PERTENECEN A GRUPOS EMPRESARIALES
CON INTERESES ECONÓMICOS DEFINIDOS.

¿ES POSIBLE LA OBJETIVIDAD EN LA PRENSA?

UN ESTUDIO SOCIOLÓGICO AFIRMA QUE LOS CIUDADANOS SOLO LE DAN
UN 4,84 (SOBRE 10) EN CONFIANZA A LOS MEDIOS.

LA POLITIZACIÓN DE LOS MEDIOS, UNA CRÍTICA CONSTANTE.

LOS CIUDADANOS SON MUY VULNERABLES A LA MANIPULACIÓN.

SOLO LOS PROFESIONALES PUEDEN GARANTIZAR EL RIGOR EN LA INFORMACIÓN.

6

Una carta al director de un periódico trata de un tema de actualidad y suele expresar una opinión de crítica, de protesta o de queja.

Es un escrito breve, redactado en un lenguaje formal, en un estilo respetuoso y sencillo.

DOS MODELOS DE CARTA

1. Lee estas cartas al director de un periódico y responde a las preguntas.

CARTAS AL DIRECTOR

Carreras en el parque

Los parques nacionales se crearon para que las personas encontraran espacios de paz y sosiego fuera de los agitados lugares donde residían. *La declaración del parque nacional de Guadarrama* en junio de 2013 contempla ese objetivo. El cuidado de su valiosísimo patrimonio cultural, científico y educativo es meta prioritaria de dicha declaración. Y, en efecto, la potencialidad pedagógica de sus paisajes es inmensa. El documento explica el «estricto régimen al que se somete la actividad humana» para «la conservación de los ecosistemas y la viabilidad de su evolución».

Pero sucede que la masificación, las carreras y la proliferación de bicicletas han entrado de lleno allí. Quienes están paseando por sus caminos oyen cada dos por tres el aviso de los ciclistas que les obligan a apartarse o detenerse en los senderos por donde andan. Igualmente, las carreras a pie que se organizan, con numerosísimos participantes, junto a su impacto sobre el medio físico y la fauna, dejan su huella en la imagen del parque. Pues de ser un espacio caracterizado por los valores mencionados, acaba convertido en otro donde priman la competición y la velocidad.— **José Arias Martínez. 16.1.2015.** *El País.*

- ¿De qué problema habla la carta?
- ¿Qué hechos denuncia?
- ¿Propone alguna solución?
- ¿Qué te sugiere el título de la carta?

El precio de un medicamento

Las medicinas que son caras lo son para pagar al científico que las descubre. Son el producto de un trabajo en equipo en una compañía farmacéutica que tiene que hacer unas inversiones supermillonarias hasta que, por fin, puede patentar un nuevo medicamento. Naturalmente tiene que recuperar su inversión.

Los Estados no investigan en medicamentos, sino en escudos antimisiles y en drones. Si se desincentiva la investigación privada, tendremos todos los medicamentos actuales en forma de genéricos, muy baratos (copiar es mucho más barato que innovar), pero ni uno solo nuevo. Y hacen falta muchos. Para el cáncer, por ejemplo.—**María del Pilar Hitos Natera. 13.1.2015.** *El País.*

- ¿De qué problema habla esta carta?
- Esta carta termina con una petición encubierta. ¿Cuál?
- ¿Qué te sugiere el título?

OTRAS FORMAS DE EXPRESAR LA OPINIÓN LOS CIUDADANOS

2. Lee este blog, en el que se habla de una gran operación de crecimiento urbanístico en el centro de Madrid.

1. ¿Por qué invierten el dinero en este proyecto donde sobresale el terreno residencial sobre cualquier otro? Lo que necesitaría España es financiar terrenos para servicios y nuevos polígonos industriales y de desarrollo, no esto.

2. Esta zona de la ciudad es conocida por sus frecuentes atascos. ¿Qué creen estos listos que pasará si se añaden 17000 pisos a la zona? No digo que no haya cosas que hacer en la zona, pero si una cosa no falta en esa zona son precisamente viviendas.

3. No aprendemos: ahora que parece que empezamos a salir adelante, nos quieren hundir de nuevo y volver al pasado. Claro que es un proyecto único en el mundo. Fuera de España, aunque a veces no lo parezca, impera el sentido común en estos proyectos; que no los hacían ni los faraones con todos los esclavos que tenían.

Paseo de la Castellana (Madrid)

- ¿Qué postura defiende con respecto al plan urbanístico?
- Fíjate en los rasgos de estilo.
- Redacta una carta en un tono más respetuoso y formal en la que expongas el problema y apuntes posibles soluciones.

ESCRIBE UNA CARTA

3. Elige un tema de actualidad. Expón un problema, apuntando o insinuando una solución.

Las monedas del mundo hispano

EXTENSIÓN CULTURAL

Amplía tus conocimientos en www.edelsa.es >

tuaulavirtual
amplía tus conocimientos on-line

- ▶ proponer soluciones a la pobreza
- ▶ evaluar las compras por Internet
- ▶ debatir la mejor forma de empleo juvenil

- ▶ los usos de los tiempos del pasado
- ▶ las perífrasis de duración
- ▶ las oraciones temporales en pasado y el estilo indirecto

- ▶ los créditos
- ▶ la economía
- ▶ la bolsa

- ▶ los microcréditos en América Latina
- ▶ una empresa española de venta en la red
- ▶ jóvenes emprendedores

¿HAS PEDIDO ALGUNA VEZ UN CRÉDITO?

Responde a estas preguntas.

1. ¿Qué tipos de créditos conoces?
2. ¿Qué piensas que es un microcrédito?
3. La palabra *microcrédito* está formada por el prefijo *micro–* y el nombre *crédito*. ¿Qué significan las palabras *microeconomía*, *microscopio*, *microorganismo*, *micrófono*?

ACNUR > ¿Qué Hace? > Autosuficiencia > Historias de microcrédito

Historias de microcrédito

El microcrédito es una herramienta fundamental para alcanzar la autosuficiencia de los refugiados y su integración económica en las comunidades de acogida. A través de los programas de microcrédito implementados en América Latina por el ACNUR y sus socios, miles de personas han podido empezar de nuevo con sus vidas. A continuación se presentan los testimonios de algunas de ellas.

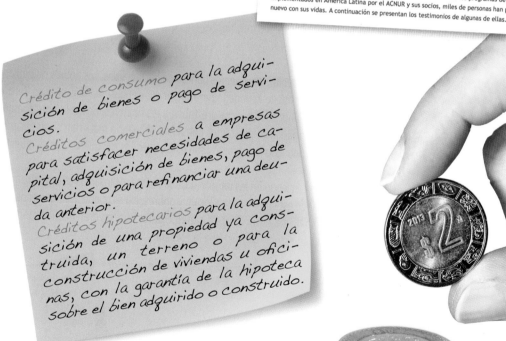

Crédito de consumo para la adquisición de bienes o pago de servicios.
Créditos comerciales a empresas para satisfacer necesidades de capital, adquisición de bienes, pago de servicios o para refinanciar una deuda anterior.
Créditos hipotecarios para la adquisición de una propiedad ya construida, un terreno o para la construcción de viviendas u oficinas, con la garantía de la hipoteca sobre el bien adquirido o construido.

7

Lee
y opina

Los microcréditos

Comprensión lectora

SALIR DE LA POBREZA CON DIGNIDAD

1. Lee este artículo y responde a las preguntas.

¿Usuario de elEconomista? **Conéctate**

Portada EcoDiario **ecoteuve** EcoMotor EcoAula Ecoley **Evasión** Ecotrader elMonitor Ecopymes América ▾

elEconomista.es | Empresas y finanzas

Martes, 2 de Diciembre de 2014

Noticias, acciones... **Buscar**

Portada Mercados y Cotizaciones ▾ Empresas ▾ Economía Tecnología ▾ Vivienda Opinión/Blogs ▾ Autonomías ▾ Servicios ▾ Diario y Revistas ▾

Alimentación Consumo Energía Finanzas y seguros Infraestructuras y construcción Sanidad Telecomunicaciones Transporte

Premio a los microcréditos: el economista Muhammad Yunus y el banco Grameen reciben el Nobel de la Paz

Tweet 0   Compartir 0   8+1 0   Share   Wow! 0

Antes de recibir un micropréstamo de cien dólares para ampliar su negocio de tortillas, Ana Ruiz, de Nicaragua, vivía en una choza con sus ocho hijos. No tenían bienes y sus hijos nunca tuvieron ni zapatos ni la oportunidad de asistir a la escuela. Después de su segundo préstamo, Ana logró enviar a los cuatro mayores a la escuela y compró ocho sillas de plástico para que sus hijos no tuvieran que sentarse en el suelo. Conocemos miles de historias como esta y se siguen repitiendo en todo el mundo: personas sin nómina, sin apenas recursos, con un presupuesto modesto.

Muhammad Yunus
Foto: Efe

Muhammad Yunus, fundador y director del banco Grameen, lleva concediendo microcréditos desde los inicios de este experimento y explica: «¿El microcrédito funciona para todos? No. ¿Es una panacea? No. ¿Es el instrumento más poderoso que hemos desarrollado para ayudar a multitud de personas entre los muy pobres –los que viven con menos de un dólar al día– a salir de la pobreza con dignidad? ¡Absolutamente!».

Recuerda el nobel: «Pusimos en marcha los microcréditos para ser los bancos de los humildes. Los pobres no podían tener acceso al capital por medio de los bancos tradicionales, por miedo al impago para saldar sus deudas. Así que, cuando los bancos prestaban a los ricos, nosotros prestábamos a los pobres. Cuando los bancos prestaban a los hombres, nosotros prestábamos a las mujeres. Cuando daban préstamos grandes, nosotros otorgábamos préstamos pequeños. Y cuando requerían garantías para no embargar, nuestros préstamos eran concedidos sin aval. Todo esto lo logramos con éxito, pero los banqueros aún se muestran escépticos».

La financiación mediante microcréditos ha ido creciendo en las últimas décadas hasta alcanzar cifras esperanzadoras. Para Yunus, hay un fracaso en el modelo de desarrollo cuando este no alcanza a los muy pobres. No se puede decir que el desarrollo es un éxito cuando más de 29 000 niños mueren cada día de malnutrición y de enfermedades que, en gran medida, podrían ser prevenidas y cuando más de 120 millones de niños en edad escolar no asisten a la escuela.

Tortillas

1. ¿Qué consiguió Ana para su familia con el microcrédito que le dieron?
2. ¿Desde cuándo Muhammad Yunus concede microcréditos?
3. ¿Qué opina Yunus del microcrédito como instrumento para salir de la pobreza?
4. ¿A quién están beneficiando los microcréditos según Yunus?
5. ¿Qué diferencias hay entre la banca tradicional y los microcréditos?
6. Pon ejemplos de situaciones de pobreza mencionados en el texto.
7. ¿Cómo ayudan al desarrollo los microcréditos?
8. ¿Para qué colectivo están siendo útiles los microcréditos en América Latina?

Comprensión lectora

2. Di si las siguientes afirmaciones son verdaderas o falsas según el artículo.

                                                                                           V   F

    1. Todas las familias que piden un microcrédito salen de la pobreza.   ☐ ☐

    2. Los microcréditos han aumentado en las últimas décadas.   ☐ ☐

    3. El desarrollo económico está siendo un éxito en el mundo.   ☐ ☐

3. Explica con tus propias palabras los siguientes conceptos.

AMPLIAR SU NEGOCIO

SALIR DE LA POBREZA

TENER ACCESO AL CAPITAL

REQUERÍAN GARANTÍAS

MODELO DE DESARROLLO

4. Relaciona los sinónimos.

RELACIONA

1. Desarrollo	**a.** Exigir
2. Requerir	**b.** Efecto
3. Impacto	**c.** Garantía
4. Panacea	**d.** Conseguir
5. Aval	**e.** Desconfiado
6. Escéptico	**f.** Aumentar
7. Prevenir	**g.** Crecimiento
8. Ampliar	**h.** Solución
9. Lograr	**i.** Evitar

FÍJATE EN LA GRAMÁTICA

5. Observa estos fragmentos del artículo y escribe con otras palabras, sin usar el gerundio, la misma idea expresada por las frases marcadas.

«Muhammad Yunus lleva concediendo microcréditos desde los inicios de este experimento».

«La financiación mediante microcréditos ha ido creciendo en las últimas décadas, hasta alcanzar cifras esperanzadoras».

«Conocemos miles de historias como esta y se siguen repitiendo en todo el mundo».

OPINA: SOLUCIONES A LA POBREZA

6. Después de leer el texto, explica brevemente qué es un microcrédito.

7. Habla con tu compañero de otras posibilidades de combatir la pobreza en el mundo y de contribuir al desarrollo con propuestas realistas.

El premio nobel Muhammad Yunus

▶ **PREPÁRATE**

TUS HÁBITOS EN LAS COMPRAS

1. Responde a estas preguntas sobre tus hábitos de comprar.

1. ¿Compras habitualmente por Internet? ¿Por qué?
2. ¿Qué opinas de las compras por Internet? Señala ventajas e inconvenientes.
3. ¿Qué productos sueles comprar por Internet y cuáles no comprarías nunca? ¿Por qué?
4. ¿Qué es un emprendedor? ¿Qué hace un emprendedor?

2. Explica qué significan para ti estas cualidades, como en el ejemplo.

EXCLUSIVIDAD	*Es un producto único, no hay otro igual.*
CALIDAD	
COMODIDAD	
ELEGANCIA	
PERSONALIDAD	

3. ¿Qué significan las siguientes palabras que van a aparecer en la audición?

1. **Híbrido** ☐ **a.** mixto ☐ **b.** original ☐ **c.** único
2. **Fascinado** ☐ **a.** admirado ☐ **b.** obsesionado ☐ **c.** sorprendido
3. **Confeccionado** ☐ **a.** comprado ☐ **b.** fabricado ☐ **c.** vendido
4. **Novedoso** ☐ **a.** excepcional ☐ **b.** nuevo ☐ **c.** sorprendente

▶ **COMPRENDE**

UNA EMPRESA EXCLUSIVAMENTE POR INTERNET

tuaulavirtual

PISTA 🎧 **11** **Actividad interactiva de audio descargable en** tuaulavirtual

4. Escucha esta entrevista y responde las preguntas.

1. ¿Por qué eligieron montar una página de venta en Internet?
2. ¿Quiénes fabrican los bolsos?
3. ¿En qué consiste personalizar un bolso?
4. ¿De qué materiales están hechos los bolsos?
5. ¿Por qué el producto es único en el mercado?
6. ¿Qué es un bolso a medida? ¿Qué otros productos se pueden hacer a medida?

5. Completa las frases sobre el contenido de la entrevista con las palabras que creas adecuadas.

- Crear tu bolso de piel a medida desde 75 euros, ... todas sus partes y colores.
- Un nuevo concepto *e-commerce* basado en ceder el .... a los clientes.
- Julia es una apasionada de la moda y a mí siempre me ha .... el mundo de los negocios.
- Queremos ser referente en el segmento de bolsos de piel .... en el mercado europeo, con el objetivo de entrar en el mercado norteamericano y .... la entrada en Latinoamérica.
- Queremos transmitir calidad, elegancia y, sobre todo, ... la idea de un producto hecho a medida.
- Adicionalmente, tenemos proyectado, más a largo plazo, explorar el mundo *offline* con acuerdos con grandes almacenes para .... el actual formato de córner hacia un híbrido córner-*on-line*.

6. Relaciona las siguientes palabras y expresiones con sus definiciones.

RELACIONA

1. Apostar por	**a.** Adaptar un producto a las preferencias individuales de un comprador.
2. Llevar a cabo	**b.** Arriesgarse por algo o alguien en el que se confía.
3. Dar forma	**c.** Concluir un proyecto.
4. Artesano	**d.** Hacer realidad una idea.
5. Emprendedor	**e.** Persona que toma la iniciativa de iniciar un negocio.
6. Fascinar	**f.** Persona, marca o idea famosa que sirve de modelo entre los de su clase.
7. Personalizar	**g.** Producir admiración.
8. Referente	**h.** Producto fabricado a mano.

▶ **REFLEXIONA Y PRACTICA**

CONSTRUCCIONES QUE EXPRESAN TIEMPO

7. Transforma estas oraciones, cambiando las expresiones de tiempo que están en pasado por otras que estén en futuro.

1. Antes de que saliera un producto similar al mercado, comenzamos a dar forma a la idea de crear una marca de carteras de calidad.

....
....

2. Cuando vivíamos en Australia, decidimos apostar por el mundo *on-line*.

....

3. Julia me convenció de que, cuando el diseño estuviera listo, lanzáramos el producto en Internet.

....

▶ **DEBATE**

PERSONALIZAR LAS COMPRAS, ¿UNA REALIDAD?

8. ¿Qué opinas de la posibilidad de personalizar un producto? ¿Qué características pedirías tú a un producto hecho a tu medida? Piensa en aspectos de un bolso, de una corbata o de otro regalo que quizá le gusten a un amigo o familiar. Discútelo con tu compañero.

Aprende y practica

▶ **Relatar en pasado: tiempos, perífrasis y construcciones**

Evalúate

Total _____ / 37

PRETÉRITO IMPERFECTO DE INDICATIVO

Valores temporales	**Valores no temporales**
Hábitos en pasado. *Antes vivía en una choza.*	Acción interrumpida implícitamente por el contexto. *¿De qué estábamos hablando?*
Acciones que se están desarrollando en un momento del pasado. *Cuando los bancos daban préstamos grandes.*	Pensamiento (o creencia) interrumpido explícita o implícitamente. *Pensaba decírtelo yo (pero lo dijo Juan).*
Descripciones en pasado. *Los pueblos indígenas eran pobres.*	Valor lúdico y onírico. *Soñé que íbamos a un cine y nos metíamos en la película.*

PRETÉRITO PLUSCUAMPERFECTO DE INDICATIVO

Valores temporales	**Valores no temporales**
Expresa una acción pasada anterior a otra pasada. *Lo que se había escrito hasta entonces era vago.*	Pensamiento (o creencia) finalmente desestimado. *Había pensado hacerme cooperante (pero no me decidí).*

1. Completa las siguientes frases con la forma adecuada del verbo en pasado.

a. Jugamos a que (ser) .... policías y ladrones.

b. (Pensar) .... ir a la fiesta, pero ahora no sé qué hacer.

c. Al final no te conté lo que pasó. (Pensar) .... decírtelo, pero me daba vergüenza.

d. Antes (hacer) .... mucho deporte, pero ahora no hago nada de ejercicio.

e. No me sorprendió la película: ya (leer) .... el final de la novela.

/ 5

2. Determina qué valor tiene el pretérito imperfecto de indicativo en las siguientes expresiones.

a. Antes los créditos se los daban solo a las personas con dinero.

b. Cuando llegó al aeropuerto, llovía.

c. ¿Qué me decías? Ah, sí, me estabas hablando de la financiación de mi nuevo negocio, ¿no?

d. ¡Sabes nadar! Pensaba que no te gustaba la natación.

e. Su casa era muy pobre: solo tenía una habitación.

/ 5

PERÍFRASIS DE DURACIÓN

Estar + gerundio	Expresa una acción en desarrollo. *Se están haciendo progresos en la concesión de microcréditos.*
Ir + gerundio	Expresa una acción que se realiza de manera progresiva, poco a poco. *La economía de algunos países pobres va superando las dificultades.*
Seguir + gerundio	Expresa que una acción continúa. *El desarrollo tecnológico sigue siendo esencial para el crecimiento económico.*
Llevar + gerundio	Expresa el tiempo que dura una acción que todavía continúa. Se usa siempre con una expresión de tiempo. *Llevan décadas concediendo microcréditos.*

3. Sustituye las palabras o expresiones subrayadas por la perífrasis de duración más adecuada.

a. Él todavía trabaja en la misma empresa de toda la vida.

b. El director del banco estudia estos días la concesión del préstamo.

c. Ella paga la hipoteca desde hace veinte años.

d. El paciente mejora día a día poco a poco.

/ 4

Gramática

ORACIONES TEMPORALES EN PASADO

Con indicativo	Cuando, mientras, en cuanto, una vez que, tan pronto como
	Cuando en 1929 cayó la bolsa de Nueva York, la crisis se extendió por Europa.
	Mientras la economía se basó en la agricultura, el desarrollo fue escaso.
Con infinitivo o con subjuntivo	Antes de (que) y después de (que)
	Antes de que se implantara el euro, España podía devaluar su moneda.

4. Completa las frases con la forma correcta del verbo.

a. Antes de que (venir) .... los invitados, dejó preparada la cena.

b. Cuando la demanda (subir) ...., aumentaron los precios.

c. Después de (quedarse) .... en paro, decidió montar su propia empresa.

d. Cuando (pedir, yo) .... el préstamo, el banco me exigió un aval.

e. Antes, mientras (haber) .... luz natural, se trabajaba en el campo de sol a sol.

/ 5

5. Subraya la forma verbal correcta.

a. Tan pronto como pagó/pagara la hipoteca, pudo pedir otro préstamo.

b. Mientras le concedían/concedieran créditos, podía pagar sus cuentas.

c. Antes de que ganó/ganara dinero en la bolsa, su economía era modesta.

d. Después de que la crisis se superó/superara, encontró empleo.

e. En cuanto cobró/cobrara su primer sueldo, pidió un crédito.

/ 5

EL ESTILO INDIRECTO EN EL RELATO EN PASADO

Cuando reproducimos las palabras de otra persona en un relato pasado, debemos cambiar los tiempos verbales y ajustarlos al tiempo pasado. Observa los ejemplos y marca los cambios:

Periodista: «¿Hay una crisis en el mercado financiero?». | *El periodista preguntó que si había una crisis en el mercado financiero.*

Director del banco: «No hemos dado créditos a personas insolventes». | *El director del banco afirmó que no habían dado créditos a personas insolventes.*

Emprendedor: «Por favor, no me den lecciones de cómo gestionar mi empresa». | *El emprendedor dijo que no le dieran lecciones de cómo gestionar su empresa.*

Mujer: «Cuando por fin me den un microcrédito, podré abrir mi propio negocio y ganar dinero». | *La mujer confirmó que, cuando le dieran un microcrédito, podría abrir su propio negocio.*

6. Pon las siguientes frases en estilo indirecto.

a. Me preguntó: «¿Vas a venir cuando esté solo?». ....

b. Me dijo: «Mañana no podré asistir a la reunión». ....

c. Me aseguró: «Esa experiencia ya la hemos tenido». ....

d. Tú me dijiste: «No me llaméis antes de que sean las 10». ....

e. Un cooperante comentó: «Mi experiencia ha sido enriquecedora». ....

f. El ministro prometió: «Bajaremos los impuestos cuando podamos». ....

g. El vigilante nos ordenó: «No entren en la sala hasta que se les diga». ....

/ 7

7. Pon el siguiente párrafo en estilo indirecto con un verbo introductor en pasado.

El redactor comentó: «Gigantes empresariales y bancarios como Monsanto o JPMorgan se apuntaron al carro». «¿Por qué grandes sectores económicos y financieros han entrado con fuerza en este mundo mientras las políticas de ayuda al desarrollo se han ido abandonando?», se preguntó Gil. Dos respuestas surgieron con fuerza: «Porque se han convertido en una forma de penetrar en un sector de población hasta ahora alejado del sistema bancario» y porque «convierte a los pobres en responsables de su situación y parece que si no salen de ahí es porque no tienen un crédito».

/ 6

CONTRATAR UN PRÉSTAMO

1. Completa la información con las siguientes palabras.

> • bienes • cuenta • deuda • embargar • garantía • impago • nómina • pagar • préstamo • pagos • saldar

ili Bankimia Comparador líder de productos bancarios

Bankimia Noticias: todo sobre bancos y sus productos
Preguntas y respuestas: consultorio gratuito

Inicio   Préstamos   Tarjetas   Hipotecas   Cuentas   Depósitos   Pagarés   Seguros

Estás en: Inicio > Bankimia noticias > Qué pasa si no puedo pagar un préstamo personal

Inicio   Canal noticias   Artículos y guías   Información sobre Bankimia

Qué pasa si no puedo pagar un préstamo personal

Publicado el 17 ago 2011 por Carla Urruela

Al contratar un .... personal, hay que estar seguro de que se podrá hacer frente a la .... mes a mes. Pero en algunas ocasiones se viven situaciones inesperadas, que hacen que no se pueda cumplir con los .... que se tenían planificados.

Existen soluciones en el caso de que no se pueda .... una deuda, pero es importante saber, antes de contratar un préstamo, qué implica ser el titular de uno. Para comenzar, los préstamos tienen .... personal, es decir, al contratar un préstamo ofrecemos como garantía todos los .... presentes y futuros: ante una situación de .... prologando, un juez puede ordenar que se embarguen nuestros bienes.

Los bienes más comunes suelen ser la .... bancaria y la parte de la .... o pensión correspondiente al salario mínimo interprofesional, pero si el importe de las deudas es elevado, también nos pueden .... el coche, la vivienda y todos aquellos bienes que crean necesarios para .... la deuda.

ili Bankimia Comparador bancario

Las noticias cada día en tu email

Introduce tu email   Suscribirse

Síguenos en:

ili Bankimia

Comparamos hasta 140 préstamos
y encontramos el mejor para ti

Ejemplos: Importe máx.

Crédito Bancopopular-e   6.000 €
Préstamo Bigbank   10.000
Préstamo Cofidis   15.000
Crédito Barclaycard   5.000 €
Préstamo BBVA   75.000 €
Préstamo rápido

Extraído y adaptado de www.bankimia.com/preguntas/fq33212

ASUNTOS DE DINERO

2. Relaciona las siguientes palabras con sus definiciones.

RELACIONA

1. Caja fuerte	**a.** Cantidad de dinero necesario o previsto para hacer frente a un gasto.
2. Talonario	**b.** Dinero que gana una persona por su trabajo u otras actividades.
3. Accionista	**c.** Documento con una lista de productos comprados y el dinero pagado.
4. Ingresos	**d.** Pequeño libro con cheques.
5. Cuenta corriente	**e.** Depósito de dinero en un banco.
6. Factura	**f.** Documento que indica el precio pagado en una compra.
7. Recibo	**g.** Persona que compra acciones de una compañía comercial.
8. Presupuesto	**h.** Objeto muy resistente para guardar dinero y otros objetos de valor.

3. Establece combinaciones posibles entre las siguientes palabras.

Ganar
Aumentar
Disminuir
Rebajar
Calcular
Dar
Conceder
Domiciliar
Ingresar
Retirar
Suscribir
Hacer

Dinero
El precio
El valor
Un préstamo
Un recibo
Una transferencia

4. Escribe los contrarios de las siguientes palabras.

BENEFICIO
PAGAR
AHORRO
RETIRAR (DINERO)
INGRESOS

INVERTIR EN BOLSA

5. A partir de esta noticia de la bolsa, escribe un texto en el que aparezcan las siguientes palabras.

- Subir/Bajar ~ la bolsa
- Acción, participación
- Tipo de interés ~ fijo/variable
- Inversión, ahorro

Bolsa de Madrid
Valores que más suben y bajan

ABENGOA B	2,136	+4,20%
BME	33,160	+2,77%
GAMESA	8,580	+2,57%
SACYR	3,269	+1,93%
CAIXABANK	4,422	+1,75%
BANKIA	1,390	-1,70%
ARCELORMITTAL	9,956	-1,57%
DIA	5,674	-1,37%
GRIFOLS	35,655	-0,56%
ACCIONA	59,430	-0,50%

18:00

6. Describe qué hacen las siguientes personas.

ACCIONISTA

SOCIO

GESTOR

GERENTE

CAJERO

CONSEGUIR DINERO

7. Establece las diferencias entre estas distintas formas de obtener dinero, indicando qué rasgos de los que aparecen al lado tienen cada una de ellas.

1. Hipoteca
2. Préstamo personal
3. Microcrédito
4. Pago en efectivo
5. Pago al contado
6. Pago con tarjeta de crédito
7. Pago con tarjeta de débito
8. Letra de pago

- pago aplazado • pago no aplazado
- pequeña cantidad de dinero • fecha fija para un plazo • pago con intereses
- vivienda como garantía

Expresión
oral

PREPÁRATE: JÓVENES EMPRENDEDORES

1. Lee, infórmate y responde a las preguntas.

Sitemap / Staff / Newsletter   SÍGUENOS EN: 🇫 🇹 ▶ 🇮🇳 🔊   ▶ REPORTAJES   ▶ SECTORES   ▼ MUY ÚTIL

Emprendedores.es

DIRECTORIO DE ST...   CÓMO CREAR UNA EMPRESA
DOCUMENTACIÓ...   ...DE AYUDAS Y
PLANES DE NEGO...
CÓMO CREAR U...
CÓMO CREAR...

IDEAS   CREA TU EMPRESA   GESTIÓN   CASOS DE ÉXITO   FRANQUICIAS   REVIST...

Buscar en Emprendedores   🔍

«En el sector no nos tomaban en serio». Marta Rueda y Alberto Romero

¿Qué hacen una psicóloga y un diseñador gráfico juntos? Crear una marca de juguetes con contenido psicológico (muñecos para ayudar a niños con fobias y miedos): «A mí siempre me había gustado trabajar con niños y ya desde tercero de carrera sabía que quería hacer algo relacionado con ello. Coincidió que en aquel momento Alberto tenía que crear una marca para un proyecto para su carrera», relata Marta Rueda, la mitad psicológica del tándem. Al mismo tiempo, un profesor le habló de unos premios para jóvenes emprendedores en los que solo hacía falta una idea. «Como ya teníamos en marcha la imagen corporativa para el trabajo de Alberto, lo presentamos y pasamos a la siguiente fase». Así, lo que en un principio iba a ser una colaboración estudiantil empezaba a tomar la forma de empresa. Era 2008 y tenían 21 años. ¿Sus claves?

*   Introducirse en el sector. Tuvieron que aprender a ser uno de ellos. «El sector juguetero es muy cerrado y, si no perteneces a ellos desde el principio, eres un extraño». Por eso, Alberto consiguió una beca para el Instituto Tecnológico de Juguetes.
*   Aprovechar los concursos. Además de ganar el premio CIADE, fueron seleccionados por Banespyme Orange, donde les dieron un nuevo curso de formación.
*   Informarse a fondo: Tanto para encontrar el dinero para la empresa como para encontrar los fabricantes que necesitaban.

Suscríbete

REVISTA | REVISTA DIGITAL | NEWSLETTER EMP

Suscríbete a la revista y consigue 12 números por solo **28,80 euros** (un **20% menos**).

1. ¿Qué proyecto siguieron Marta y Alberto?
2. ¿Qué pasos tuvieron que dar para conseguir resultados?
3. ¿Cuál fue la clave del éxito?

2. Discute con tu compañero si esta experiencia puede ser imitada por otras personas.

3. Escucha este informe sobre la posibilidad de montar tu propio negocio y responde a las preguntas.

PISTA 🎧12

tuaulavirtual

Actividad interactiva de audio descargable en | tuaulavirtual

*   ¿Dónde nos aconsejan instalar nuestro propio negocio?
*   ¿Cómo podemos ahorrar en gastos de gestión?
*   ¿Qué consejo nos dan para no gastar en viajes?
*   ¿Cómo podemos ahorrar en publicidad?

TERTULIA

4. ¿Qué opinas sobre la posibilidad de montar tu propio negocio o si es mejor buscar un empleo por cuenta ajena? Responde a estas preguntas.

La mejor opción para trabajar

- ¿QUÉ VENTAJAS TIENE MONTAR TU PROPIO NEGOCIO?
- ¿PREFIERES BUSCAR UN EMPLEO O INTENTAR SER AUTÓNOMO?
- HABLA DE LAS POSIBILIDADES DEL AUTOEMPLEO.

5. La cooperación como forma de empleo solidario. Da tu opinión sobre las posibilidades de trabajar de cooperante.

Se gana experiencia.

Es fácil encontrar un trabajo a tu medida.

No se percibe ningún ingreso.

Pierdes el tiempo sin tener un trabajo de verdad.

6. Da respuesta a las preguntas que te planteamos a continuación. Discute con tus compañeros, teniendo en cuenta todas las posibilidades presentadas, y expón tus argumentos.

¿Cuál es la mejor forma de empleo para los jóvenes? ¿Es el futuro negro para ellos? ¿Cómo podemos mejorar la situación laboral?

7

Expresión
escrita

PRINCIPIOS DE UN TEXTO NARRATIVO

1. Lee y ten en cuenta estas cuestiones.

EN UN TEXTO NARRATIVO SE CUENTAN SUCESOS QUE OCURREN A TRAVÉS DEL TIEMPO. HAY FORMAS VERBALES QUE PUEDEN:

• hacer avanzar la narración, marcan nuevos eventos en el argumento de la historia, como el pretérito perfecto simple.
Ejemplo: «Tomó conciencia de la pobreza en su primer viaje».
• detener el paso del tiempo o hacer descripciones, como el pretérito imperfecto.
Ejemplo: «Cuando llegó al lugar, todo estaba en calma».
• ir hacia atrás, como el pretérito pluscuamperfecto.
Ejemplo: «Él ya había estado en ese lugar».

LOS MARCADORES QUE SE UTILIZAN EN UN TEXTO NARRATIVO PUEDEN SER:

1. Temporales: *en aquel momento, entonces, después, ese día, de ahí en adelante, etc.*
2. Organizadores del discurso:
    a. De apertura: *había una vez, érase una vez, etc.*
    b. De desarrollo: *más tarde, días después, etc.*
    c. De cierre: *finalmente, por fin, etc.*

Playa La Romana, Santo Domingo

FAMILIARÍZATE CON UN TEXTO NARRATIVO

2. Lee el texto y complétalo con los verbos en la forma verbal adecuada.

Casa de Cristóbal Colón, Santo Domingo

La primera vez que (venir) .... a la República Dominicana fue de vacaciones en el verano de 1993 y, al conocer la realidad dominicana, me (cautivar) .... su gente, su alegría, su solidaridad y su capacidad de celebrar en medio de las dificultades. Me (impactar) .... la pobreza y los grandes contrastes de desigualdad social y económica. Por todo ello, (decidir) .... venir aquí como cooperante. Otro aspecto que (influir) .... en mi decisión de venir a la República Dominicana fue conocer el trabajo que el Centro Cultural Poveda (realizar) .... en la formación de profesores en escuelas públicas en zonas marginadas en el país desde una perspectiva crítica y liberadora.

Más tarde, con estas experiencias (comprender) .... que podía aprender mucho de ese trabajo, y aportar desde mi experiencia profesional como especialista en la formación docente en España.

(Comenzar) .... a trabajar en enero de 1995 porque (creer) .... que con mi experiencia profesional podía aportar de manera significativa para el cambio y la mejora de la calidad educativa dominicana. Desde entonces (ir) .... dándome cuenta de que adentrarse en otra cultura es un proceso en el que vamos aprendiendo unas personas de otras, que te abren otros horizontes, que rompes estereotipos, porque todas las personas tenemos algo que aprender y algo que aportar. Hoy me siento parte del pueblo dominicano, con el que (crecer) .... en respeto, tolerancia, y solidaridad.

3. Haz un resumen del texto del cooperante (recuerda ponerlo en tercera persona).

4. ¿Qué formas verbales hacen avanzar el relato? Pon ejemplos.

Expresión
escrita

CONOCE UN BUEN TEXTO NARRATIVO

5. Lee el texto y responde las preguntas.

Más difícil le resultó a Roger hacerse una idea aproximada de cuántos indígenas había en el Putumayo hacia 1893, cuando se instalaron en la región las primeras caucherías, y cuántos quedaban en 1910. No había estadísticas serias, lo que se había escrito hasta entonces era vago, las cifras diferían mucho de una a otra. Quien parecía haber hecho el cálculo más fiable era el infortunado explorador y etnólogo francés Eugène Robuchon (desaparecido de manera misteriosa en la región del Putumayo en 1905), según el cual las siete tribus de la zona debían sumar unos cien mil antes de que el caucho atrajera a los «civilizados» al Putumayo. Juan Tizón consideraba esta cifra muy exagerada. Él, por distintos cálculos y cotejos, consideraba que unos cuarenta mil estaba más cerca de la verdad. En todo caso, ahora no quedaban más de diez mil sobrevivientes. Así, el régimen impuesto por los caucheros había liquidado más de tres cuartas partes de la población indígena. Muchos, sin duda, habían sido víctimas de la viruela, la malaria, el beriberi y otras plagas. Pero la inmensa mayoría falleció por la explotación, el hambre, las mutilaciones y los asesinatos. A este paso, a todas las tribus les ocurriría lo que a los iquarani, que se habían extinguido totalmente.

Mario Vargas Llosa

«El sueño del celta»

a. ¿Cuántos indígenas había en el Putumayo en 1893 y cuántos quedaron en 1910?
b. ¿Por qué murieron tantos indígenas?
c. ¿Qué futuro insinúa el autor que les esperaba a las tribus indígenas en 1910?

ESCRIBE UN TEXTO NARRATIVO

6. Elige una de las dos tareas de escritura.

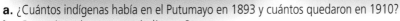

a. ESCRIBE UNA POSIBLE CONTINUACIÓN DE UNO DE LOS DOS TEXTOS ANTERIORES.

Ten en cuenta los elementos que aparecen en la narración (personajes, tiempos verbales, marcadores narrativos, así como el sentido general de la historia). Elige los tiempos verbales adecuados para avanzar, detenerse o retroceder en el tiempo.

b. ESCRIBE UN TEXTO NUEVO EN EL QUE CUENTES UNA HISTORIA (REAL O IMAGINARIA) DE UN COOPERANTE, TENIENDO EN CUENTA LAS SIGUIENTES PAUTAS:

- Personajes que intervienen en la narración. Uso de la 1.ª o 3.ª persona para narrar.
- Marcadores temporales que sitúan el tiempo en que se desarrolla la narración.
- Eventos que se suceden (con verbos de acción en pretérito perfecto simple).
- Descripciones en pasado (en pretérito imperfecto).
- Acciones o estados que sitúan la narración en un tiempo anterior (pretérito pluscuamperfecto).
- Orden cronológico de la narración (desde el principio hasta el final o viceversa).
- Marcadores narrativos que organicen el discurso.

8

VIAJANDO
POR EL MUNDO

Destinos turísticos hispanos

EXTENSIÓN CULTURAL

Amplía tus conocimientos en www.edelsa.es >

aulavirtual
amplía tus conocimientos on-line

Competencia **pragmática** ▼	Competencia **lingüística: gramática** ▶	Competencia **lingüística: léxico** ▼	Competencia **sociolingüística** ▶
▶ narrar un viaje ▶ hacer hipótesis sobre el presente y el pasado ▶ debatir sobre las formas de transporte del futuro	▶ oraciones temporales ▶ el contraste entre el futuro simple y el compuesto ▶ frases para expresar hipótesis	▶ los medios de transporte ▶ verbos de movimiento ▶ los viajes	▶ la figura de Che Guevara ▶ los motivos para viajar ▶ el continente americano como destino de viajes

EN REALIDAD,
¿ POR QUÉ VIAJAMOS?

Lee y expresa tu opinión.

Rara vez nos hacemos esa pregunta; viajamos, supuestamente, por placer, pero sin reflexionar sobre lo que significa realmente viajar ni sobre el motivo de viajar; ahora es el momento de proceder a esa reflexión: ¿para qué viajamos?

Responde a esta pregunta.

¿ Qué nos impulsa a viajar, qué esperamos encontrar?

Haz una lluvia de ideas con tus compañeros y redacta una lista de motivos por los que viajar.

▶ **PREPÁRATE**

LA PELÍCULA *DIARIOS DE MOTOCICLETA*

1. Lee esta síntesis del argumento de la película y responde a las preguntas.

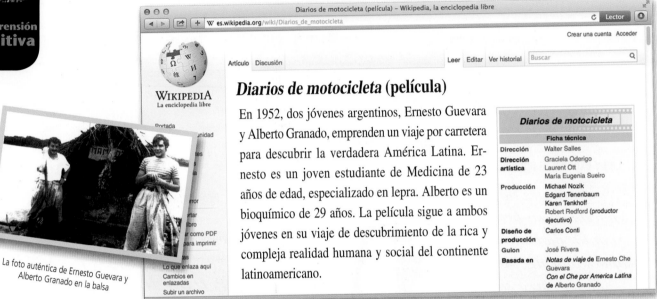

Diarios de motocicleta (película) – Wikipedia, la enciclopedia libre

W es.wikipedia.org/wiki/Diarios_de_motocicleta

Crear una cuenta Acceder

WIKIPEDIA
La enciclopedia libre

Artículo Discusión

Leer Editar Ver historial Buscar

Diarios de motocicleta (película)

En 1952, dos jóvenes argentinos, Ernesto Guevara y Alberto Granado, emprenden un viaje por carretera para descubrir la verdadera América Latina. Ernesto es un joven estudiante de Medicina de 23 años de edad, especializado en lepra. Alberto es un bioquímico de 29 años. La película sigue a ambos jóvenes en su viaje de descubrimiento de la rica y compleja realidad humana y social del continente latinoamericano.

Diarios de motocicleta	
Ficha técnica	
Dirección	Walter Salles
Dirección artística	Graciela Oderigo Laurent Ott María Eugenia Sueiro
Producción	Michael Nozik Edgard Tenenbaum Karen Tenkhoff Robert Redford (productor ejecutivo)
Diseño de producción	Carlos Conti
Guion	José Rivera
Basada en	*Notas de viaje* de Ernesto Che Guevara *Con el Che por América Latina* de Alberto Granado

La foto auténtica de Ernesto Guevara y Alberto Granado en la balsa

1. ¿De dónde son Ernesto Guevara y Alberto Granado?
2. Uno de los dos ya ha terminado la universidad y el otro continúa estudiando, ¿cuál?
3. ¿Qué crees que quiere decir «la verdadera América Latina»?

▶ **COMPRENDE**

UN VIAJE QUE CAMBIÓ SU MUNDO

PISTA 🎧 13 | Actividad interactiva de audio descargable en tuaulavirtual

2. Escucha este resumen del argumento de la película y contesta las preguntas.

1. ¿Estaban bien preparados para el viaje? ¿Por qué?
2. ¿Qué pasó con la moto? En tu opinión, ¿las consecuencias fueron buenas o malas?
3. ¿Qué escena es la más importante de la película por su significado?
4. ¿Cuántos países han recorrido Alberto y Ernesto?

3. Observa estos fragmentos del resumen y busca la palabra o expresión que corresponde a cada definición.

- «El joven Ernesto vive en la ciudad de Córdoba (Argentina) en una familia acomodada».
- «La película narra las peripecias de los dos amigos en su viaje por Sudamérica y su contacto con las poblaciones más desfavorecidas».
- «Como la moto se avería, tienen que abandonarla y continúan el viaje haciendo dedo».
- «Por fin llegan a Machu Picchu, donde la visión de su increíble arquitectura los asombra».
- «En Perú, los amigos viajan a una leprosería».
- «Esta escena representa la transformación del protagonista en una persona comprometida con los sufrimientos de la gente».

1. Una persona .... es la que tiene un ideal y trabaja por él.
2. Cuando algo te impresiona, es tan maravilloso que resulta increíble, es que te ....
3. Viajar en coches de otros, pedirles que te lleven, de pie al lado de la carretera sacando el dedo pulgar.
4. Accidentes, aventuras, sucesos imprevistos.
5. Institución donde se trata a enfermos de lepra.
6. Llamamos .... a una persona que tiene todo lo que necesita, tiene bastante dinero.

▶ **REFLEXIONA Y PRACTICA**

NEXOS TEMPORALES

4. Completa estas frases sobre el viaje con el nexo temporal más adecuado.

> a medida que – después de (que) – una vez (que)
> cuando – mientras (tanto) – tras – nada más

1. .... Ernesto y Alberto recorren las carreteras de Latinoamérica, va despertando en ellos la conciencia social.
2. .... la moto se averiara, los amigos tuvieron que viajar haciendo autostop.
3. .... Alberto ya era bioquímico, Ernesto todavía no había terminado la carrera de medicina.
4. .... llegar al Machu Picchu, los dos viajeros se quedaron impresionados.
5. .... Ernesto les contó a sus padres lo del viaje, estos se quedaron muy preocupados.
6. .... habían decidido iniciar el viaje, nadie se lo podía impedir.
7. .... visitar una leprosería en Perú, prosiguieron su viaje a Colombia.

▶ **ACTÚA**

UN VIAJE DE DESCUBRIMIENTO

5. Con tu compañero, responde a las preguntas y redacta una descripción del viaje.

¿Te gustaría hacer un viaje de descubrimiento, como el descrito en esta película? Imagina que piensas hacer uno. Planea el viaje.

- ¿Adónde te gustaría viajar?
- ¿Cómo viajarías? ¿Qué peligros o incomodidades crees que podrías sufrir?
- ¿Qué esperarías aprender o qué experiencias te gustaría vivir durante el viaje?

EL DIARIO DEL FUTURO LÍDER

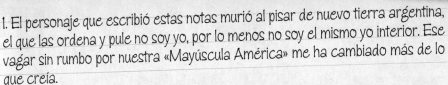

1. Lee estos fragmentos de las notas del diario de Che Guevara sobre su viaje e identifica cada uno con los momentos descritos en el resumen de la película.

a. Al empezar el viaje ☐

b. Al poco tiempo de empezar ☐

c. En pleno viaje, cuando la moto se estropea ☐

d. En contacto con los pobres en Perú ☐☐

e. En la leprosería ☐

f. Después de acabar el viaje ☐

1. El personaje que escribió estas notas murió al pisar de nuevo tierra argentina, el que las ordena y pule no soy yo, por lo menos no soy el mismo yo interior. Ese vagar sin rumbo por nuestra «Mayúscula América» me ha cambiado más de lo que creía.

2. Apenas salidos, tomé el comando y aceleré para recuperar el tiempo perdido; una arenilla fina cubría cierta parte de la curva y, pare de contar: es el topetazo más fuerte que nos diéramos en toda la duración del raid.

3. Allí, en estos últimos momentos de gente cuyo horizonte más lejano fue siempre el día de mañana, es donde se capta la profunda tragedia que encierra la vida del proletariado de todo el mundo; hay en esos ojos moribundos una sumisa petición de disculpas y también, muchas veces, una desesperada petición de consuelo que se pierde en el vacío, como se perderá pronto su cuerpo en la magnitud del misterio que nos rodea.

4. ... veremos si, algún día, algún minero tomará un pico con placer e irá a envenenar sus pulmones con consciente alegría.

5. Por la noche, una comisión de enfermos de la colonia vino a darnos una serenata homenaje, en la que abundó la música autóctona, cantada por un ciego; la orquesta la integraban un flautista, un guitarrero y un bandoneonista que no tenía casi dedos del lado sano, lo ayudaban con un saxofón, una guitarra y un chillador. Después vino la parte discursiva en donde cuatro enfermos por turno elaboraron como pudieron sus discursos, a los tropezones; uno de ellos, desesperado porque no podía seguir adelante, acabó con un: «tres hurras por los doctores».

6. Todo lo trascendente de nuestra empresa se nos escapaba en ese momento, solo veíamos el polvo del camino y nosotros sobre la moto devorando kilómetros en la fuga hacia el norte.

7. No sabemos si llegaremos o no, pero evidentemente nos costará mucho, esa es la impresión. Alberto se ríe de los planes de viaje que tenía minuciosamente detallados y según los cuales estaríamos ya cerca de la meta final cuando en realidad recién empezamos.

Extractos de *Diarios de motocicleta*, de Ernesto Guevara

2. Señala si estas hipótesis son verdaderas o falsas. Corrige la información falsa.

Fragmento 1

V   F

☐ ☐ **1.** No se sabe quién habrá sido el autor del texto, probablemente alguien diferente a quien se piensa.

☐ ☐ **2.** La persona que revisa el texto habrá cambiado en su forma de pensar a cuando escribió las notas.

☐ ☐ **3.** Pensaba que el viaje le iba a cambiar más de lo que lo ha hecho.

Fragmento 2

☐ ☐ **1.** Estará contando cómo es el paisaje.

☐ ☐ **2.** Estará contando un accidente.

☐ ☐ **3.** Ernesto piensa que van retrasados y que deberían darse prisa.

Fragmento 3

☐ ☐ **1.** Describirá a personas que sienten que no tienen futuro.

☐ ☐ **2.** Serán personas que no se conforman con lo que tienen, que piden una vida mejor.

Fragmento 4

V   F

☐ ☐ **1.** Seguro que a los mineros les gustará lo que hacen. Habrán elegido su trabajo por vocación.

☐ ☐ **2.** No cree que llegue a ver el día en que eso ocurra.

Fragmento 5

☐ ☐ **1.** Le impresionó el estado en que estaban los músicos.

☐ ☐ **2.** No le gustará la música autóctona y, por eso, la critica.

Fragmento 6

☐ ☐ **1.** Habrá cambiado de actitud después de estropearse la moto.

☐ ☐ **2.** Estarían demasiado centrados en sí mismos al principio del viaje.

Fragmento 7

☐ ☐ **1.** Se sentirán eufóricos y despreocupados.

☐ ☐ **2.** No habrán hecho planes.

FÍJATE EN LA GRAMÁTICA

3. En las hipótesis anteriores se utiliza el futuro simple *(será)* y el futuro compuesto *(habrá sido)*. Marca las frases en las que se expresa una hipótesis sobre el presente y marca las que expresan una hipótesis sobre el pasado.

4. Habla con tu compañero formulando preguntas y respondiendo a las suyas sobre algún hecho presente o pasado. Si no sabes la respuesta, responde haciendo una suposición, como en los ejemplos.

- ¿Dónde está el profesor?
- No sé, estará en la sala de profesores, supongo.

- ¿Cómo ha venido Anne a clase: en autobús o andando?
- No sé, habrá venido andando. Vive cerca.

OPINA:
¿QUÉ LE HABRÁ PASADO EN CADA MOMENTO?

5. Expresa qué le habrá pasado a Ernesto Guevara en cada uno de los siete momentos para que haya cambiado.

Aprende y practica ▶ Futuro simple y compuesto, y oraciones temporales

Evalúate

Total _____ / 32

USO DEL FUTURO COMPUESTO

1. Para expresar una acción futura, pero pasada con respecto a otra futura.
Para cuando nos mudemos, ya habrán terminado el carril bici.
Dentro de dos meses echaremos cuentas. Yo habré gastado menos que tú.

2. Para hacer una hipótesis sobre lo que ha ocurrido antes.
Juan no ha vuelto a casa todavía. Se habrá quedado en el cole, jugando.

1. **Relaciona las dos partes de cada frase.**

   a. **Un matrimonio hace tareas del hogar**

     1. Para cuando vuelvas del supermercado,   … terminaré de hacer la paella.
     2. Cuando me traigas el arroz,   … ya habré terminado de hacer la paella.

   b. **Dos amigos se meten en un cine un día de lluvia**

     3. Cuando termine la película,   … iremos a tomar unos pinchos.
     4. Para cuando termine la película,   … ya habrá dejado de llover.

   c. **Unos compañeros hablan del tiempo**

     5. Dicen que el año que viene el verano   … será muy caluroso.
     6. Dicen que antes del 2030   … se habrá derretido el Polo Norte.

                                                                  | / 6 |

2. **Completa las frases con verbos en futuro simple o futuro compuesto. Marca con una (H) las que sean de hipótesis, y con una (T) las que sean temporales.**

   a. Para ir de casa al trabajo todos los días, me imagino que (tardar, vosotros) .... unos cuarenta minutos, ¿verdad?

   b. ¿De verdad has hecho tú solo esta maqueta del Monasterio del Escorial? (Tardar) .... un montón de tiempo, ¿no?

   c. Llegaremos a Córdoba como a las nueve. Para entonces ya (cerrar) .... las tiendas.

   d. Cuando lleguemos a Córdoba, (visitar) .... la Mezquita.

   e. Has viajado por toda América. Supongo que (estar) .... en sitios fantásticos.

   f. Para cuando termine la gira, (recorrer, nosotros) .... cinco países.

                                                                    | / 6 |

LAS ORACIONES TEMPORALES CON INDICATIVO Y CON SUBJUNTIVO

Cuando voy a Bolivia, visito a mis amigos (= siempre que voy, habitual).
Cuando vaya a Bolivia, visitaré a mis amigos (futuro).

Dentro de una narración en pasado, los hechos habituales se expresan en imperfecto de indicativo; los hechos futuros, con imperfecto de subjuntivo y condicional.

Cuando iba a Bolivia, visitaba a mis amigos.
Dije que, cuando fuera a Bolivia, visitaría a mis amigos y lo hice.

3. Completa con verbos en la forma adecuada.

a. Antes, cuando (viajar) .... por motivos de trabajo, no me (gustar) .... viajar en vacaciones. Ahora es distinto.

b. Era el 15 de agosto. Todavía me quedaban dos semanas de vacaciones en el Caribe. Cuando (volver) .... a trabajar, me (acordar) .... de sus playas, estaba seguro.

c. Ahora hay muchos atascos, pero cuando (construir, ellos) .... la autopista no (haber) .... más problemas.

d. Yo creí que Clara me (llamar) .... cuando (llegar) .... a la ciudad, pero llegó anteayer y todavía no sé nada de ella.

e. ¿Podrías traerme algo de mate cuando (ir) .... a Argentina, por favor?

/ 9

CONECTORES TEMPORALES

A medida que, siempre que/cada vez que, según, mientras

1. Seguidos de indicativo introducen acciones presentes o habituales.
A medida que llegan los atletas, reciben una botella de agua.
Mientras conduce, sigue hablando.

2. Seguidos de subjuntivo introducen acciones futuras.
A medida que lleguen, tenéis que dar a los atletas una botella de agua.
Mientras tenga fuerzas, seguiré trabajando.

Otros usos de **mientras**:
Yo le ayudé, mientras que los demás solo se rieron (adversativa).
Seguiré trabajando solo mientras me paguen bien (con subjuntivo tiene valor condicional).

Mientras tanto, al mismo tiempo que, en lo que + indicativo
Nada más + infinitivo
Nada más llegar, tenemos que encender la calefacción (= En cuanto lleguemos, tenemos que...).

---

4. Completa las oraciones con el verbo en la forma adecuada.

a. Nada más (abrir) .... la carta, adiviné la noticia que contenía.

b. Mientras yo dejo la llave en recepción, (buscar, tú) .... un mapa de la ciudad, ¿vale?

c. A medida que (ir) .... recorriendo ciudades, iré tomando notas sobre su arquitectura.

d. Siempre que (poder, tú) ...., contacta con el consulado de tu país al viajar.

e. ¡Qué rollo! Cada vez que nos (encontrar) .... con Jorge, nos cuenta sus vacaciones.

f. ¿A que no sabes a quién vimos ayer según (volver, nosotros) .... de la catedral?

g. Estos tunos, mientras no nos (cobrar) .... por escuchar, pueden tocar lo que quieran.

/ 7

5. Sustituye las partes subrayadas por uno de estos conectores. Haz los cambios necesarios.

a medida que – cada vez – mientras – nada más.

a. <u>Inmediatamente después de</u> llegar, nos ofrecieron una copa de una bebida típica.

b. Podemos continuar <u>a condición de que</u> no empiece a llover.

c. No seas impaciente. <u>Al conocer a</u> gente, harás amigos.

d. <u>Siempre que</u> oigo una ranchera, me acuerdo de cuando estuvimos en México.

/ 4

¿CUÁL ES EL MEJOR MEDIO DE TRANSPORTE?

1. Una familia se va a trasladar a las afueras y está haciendo planes.
Escucha y anota los medios de transporte de los que habla.

PISTA 14

tuaulavirtual

Actividad interactiva de audio descargable en tuaulavirtual

2. Escucha otra vez e indica qué medio de transporte eligen para cada miembro de la familia y por qué.

3. Relaciona para formar expresiones.

RELACIONA

1. Estación	**a.** una hora
2. Parada	**b.** público
3. Carril	**c.** cuentas
4. Compartir	**d.** un abono transporte
5. Sacarse	**e.** coche
6. Transporte	**f.** de autobús
7. Echar	**g.** un atasco
8. Subirse	**h.** *bici*
9. Autobús	**i.** de cercanías
10. Tardar	**j.** combinación
11. Pillar	**k.** al tren
12. La mejor	**l.** escolar

4. Usa las expresiones anteriores para completar estas frases.

1. Ayer estuve esperando en la .... media hora. Y luego llegaron tres seguidos.
2. Nos hemos puesto de acuerdo tres compañeros para .... Cada día uno lleva a los demás.
3. Si todos usáramos el ...., contribuiríamos a reducir la contaminación.
4. Quienes tengan que ...., deben darse prisa. Sale dentro de media hora.
5. En autobús se ....; en coche, unos treinta minutos.
6. El autobús 25 hasta la plaza del Norte y luego el metro: esa es .... para ir al centro.
7. Si salimos a las ocho, vamos a .... gigantesco. Estaremos parados más de una hora.
8. El .... viene a recoger a mis hijos a las siete para llevarles al *cole*.
9. Tenemos que .... y calcular qué forma de transporte nos sale más barata.
10. Hay que .... para viajar en metro y autobús por toda la ciudad.
11. A los ciclistas no les gusta nada que los peatones andemos por el ....
12. Vivimos en las afueras, pero muy cerca de una .... Eso nos viene bien para ir al centro.

VERBOS Y EXPRESIONES DE MOVIMIENTO

5. Elige la opción correcta.

1. Si me tocara la lotería, lo primero que haría sería .... la vuelta al mundo.
    a. ☐ tomar   **b.** ☐ recorrer   **c.** ☐ dar

2. Se puede .... la sierra por la carretera de montaña o por el túnel.
    a. ☐ rodear   **b.** ☐ cruzar   **c.** ☐ avanzar

3. El coche está averiado. Tenemos que .... para llegar hasta el pueblo más cercano y buscar un taller.
  a. ☐ hacer dedo   **b.** ☐ hacer tiempo   **c.** ☐ pedir coche
4. Esta carretera .... todo el parque natural. Tiene unas vistas maravillosas.
  a. ☐ atraviesa   **b.** ☐ cubre   **c.** ☐ abarca
5. Conozca la selva Lacandona, ... en típicas cabañas de madera.
  a. ☐ viviendo   **b.** ☐ alojándose   **c.** ☐ estando
6. En la frontera, los policías .... todas nuestras maletas.
  a. ☐ buscaron   **b.** ☐ revolvieron   **c.** ☐ registraron
7. En vez de ...., estamos yendo para atrás.
  a. ☐ adelantar   **b.** ☐ subir   **c.** ☐ avanzar

AL VOLANTE O AL MANILLAR

6. Completa el texto con las siguientes palabras.

• acelerar • adelantar • aparcar • atropellar • cambios • casco • chocar • cinturón • curvas • frenar • pincha • salirse

AUTOESCUELA

Para .... [1] se pisa el pedal derecho, para .... [2] se pisa el pedal del centro, ambos con el pie derecho. El pie izquierdo se usa para pisar el pedal del embrague, que está a la izquierda, pero los coches con caja de .... [3] automática no tienen embrague.

Hay que prestar atención al tráfico siempre, para no .... [4] contra otro coche o .... [5] a un peatón.

En carretera, hay que tener cuidado al .... [6] a otro coche. También hay que tener cuidado con las .... [7]. Si estas se toman a una velocidad excesiva, uno puede .... [8] de la carretera y tener un accidente.

Si se .... [9] una rueda o se avería el motor, tenemos que .... [10] el coche fuera de la carretera, en el arcén.

Para mayor seguridad, debemos llevar en todo momento puesto el .... [11] de seguridad. Si vamos en moto, debemos llevar siempre puesto el .... [12].

ADVERBIOS ACABADOS EN -MENTE

7. Elige la mejor opción para completar las frases.

1. A este pueblo siempre han venido españoles, pero .... vienen también turistas extranjeros.
  a. ☐ anteriormente   **b.** ☐ continuamente   **c.** ☐ últimamente
2. Siento mucho que hoy haya llegado tarde el autobús. Es extraño, ... llega puntual.
  a. ☐ raramente   **b.** ☐ habitualmente   **c.** ☐ diariamente
3. Habíamos perdido el vuelo de conexión e intentábamos .... buscar plaza en el siguiente vuelo.
  a. ☐ desesperadamente   **b.** ☐ penosamente   **c.** ☐ definitivamente
4. Yo .... prefiero el avión, pero comprendo a los que les gustan los viajes en barco.
  a. ☐ forzosamente   **b.** ☐ absolutamente   **c.** ☐ personalmente
5. Este hotel tiene varias ventajas, ... el precio y la situación en el mismo centro.
  a. ☐ seguramente   **b.** ☐ concretamente   **c.** ☐ realmente
6. Observamos a una señora mayor subiendo .... la cuesta, cargada con un enorme fardo.
  a. ☐ penosamente   **b.** ☐ difícilmente   **c.** ☐ desesperadamente

PREPÁRATE: TU TRANSPORTE FAVORITO

1. Relaciona.

RELACIONA

1. El transporte colectivo
2. La *bici*
3. Nuevos servicios por Internet para compartir coche
4. Servicios por Internet de coches privados con conductor

a. Ideal para reducir la contaminación y el más saludable. No sirve para grandes distancias y no todas las ciudades son apropiadas para ella.

b. Son compañías piratas que ofrecen precios algo más asequibles, pero es una competencia desleal: los conductores no pagan impuestos y no están obligados a librar un día a la semana.

c. Se trata de poner en contacto a personas que van a hacer un viaje en su coche con otras que quieren hacer el mismo viaje. Estos últimos pagan solamente parte del gasto de gasolina.

d. Tienen gran capacidad de carga y se reduce mucho la contaminación, pero para mucha gente son medios lentos e incómodos. Tampoco salen muy baratos (los ayuntamientos gastan mucho dinero en ellos).

2. Compara los distintos medios de transporte y expón una idea positiva y una negativa de cada uno.

PARA AYUDARTE

Introducir varias ideas en contraste:
- Por una parte..., por otra parte.../Por un lado..., por otro (lado), …

Para insistir o añadir otra idea:
- Y no solo (eso), sino que además, …/Y además…/Y para colmo, …

Comparaciones con expresión de grado:
- Es mucho/muchísimo más/menos… que…/Es ligeramente/un poco más/menos… que…
- Son prácticamente iguales/No tienen nada que ver.

3. Observa esta propuesta. ¿Qué te parece? Indica las ventajas y los inconvenientes.

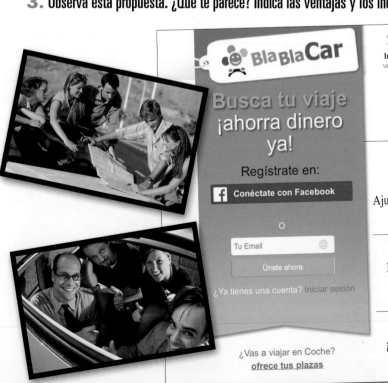

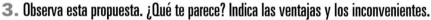

BlaBlaCar

🏠 **Inicio** Ver vídeo | 👍 **Sencillo** 3 simples pasos | 🐷 **Eficiente** Ahorra dinero | ✓ **Garantiza** Tu tranquilidad

Busca tu viaje ¡ahorra dinero ya!

Regístrate en:

f Conéctate con Facebook

O

Tu Email @

Únete ahora

¿Ya tienes una cuenta? Iniciar sesión

¿Cómo Compartir Coche?

Cómo funciona en 3 sencillos pasos

1

¿Tienes plazas disponibles?
Publica tu viaje
Ajusta tu horario, itinerario y precio por plaza.

¿Necesitas una plaza?
Consíguela con BlaBlaCar.
Busca los conductores que hacen tu trayecto y elige el tuyo.

2

Conecta con usuarios
Los pasajeros se ponen en contacto con los conductores y confirman los detalles del viaje.

3

Viaja en coche compartido.
¡Comparte tu viaje! Después de viajar juntos, deja a tus compañeros de viaje una opinión y fortalece la Comunidad.

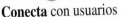
¿Vas a viajar en Coche?
ofrece tus plazas

Exprésate ▶

TERTULIA

Expresión oral

4. Debate sobre el transporte ideal para tu ciudad. Para ello, lee el texto y forma grupos.

Tu ciudad en movimiento

EL FUTURO DEL TRANSPORTE URBANO: ¿BICI, COCHES COMPARTIDOS, TRANSPORTE COLECTIVO, CONDUCTORES PRIVADOS?
TODOS ESTÁN DE ACUERDO: EL COCHE PARTICULAR NO ES LA SOLUCIÓN. DEMASIADOS ATASCOS, DEMASIADA CONTAMINACIÓN, DEMASIADO CARO EN COMBUSTIBLE Y PLAZAS DE APARCAMIENTO. ¿CUÁLES SON LAS ALTERNATIVAS?

PASOS

• La clase se divide en cuatro grupos. Son los cuatro partidos políticos representados en el ayuntamiento de la ciudad. Cada grupo debe defender una de las cuatro opciones de transporte urbano mencionadas antes (por acuerdo o se echa a suertes).

• Cada grupo se reúne por separado y prepara sus argumentos.

• Luego, durante solo diez minutos, representantes de cada grupo intentan conseguir aliados para el debate. Para ello, visitan otros grupos e intentan llegar a acuerdos con ellos.

• Se celebra el debate. Cada grupo dispone de cinco minutos para exponer sus argumentos, seguidos de unos tres minutos de preguntas y comentarios de los demás grupos (una pregunta de cada grupo).

• Conclusiones: otro representante de cada grupo habla durante un minuto para resumir la posición de su grupo y hacer una propuesta concreta, o apoyar la propuesta de otro grupo, o hacer una propuesta conjunta con otro grupo.

• Votación secreta de todos los concejales del ayuntamiento: se vota por la propuesta preferida, que será la aprobada para la ciudad.

VIVIR UN VIAJE PARA CONTARLO

8

Expresión **escrita**

1. Lee los consejos para escribir un buen blog de viajes y, luego, los ejemplos. Relaciona cada consejo con el ejemplo que mejor lo ilustra.

1. Ofrece consejos a otros viajeros, basándote en tu experiencia, sobre dónde ir o cómo hacer ciertas cosas.

2. Narra tu viaje dando algunos detalles y cuenta tus planes para los próximos días.

3. Entrevista a personas mientras viajas. Compañeros de viaje, residentes locales, etc., pueden darte ideas o información interesante. Cuenta lo que te dicen.

4. Apela a los sentidos cuando hagas descripciones. Aromas, vistas, sonidos, el frescor o la humedad, etc., todos estos detalles ayudan al lector a imaginarse mejor las escenas que narras.

5. Toma fotos y vídeos para añadir a tu blog.

6. Responde a los comentarios de los lectores. Es una oportunidad para construir una buena relación con los lectores.

Cumbre del Aconcagua, Mendoza (Argentina)

Parque Xochimilco, México D.F. (México)

Gran Splendid, Buenos Aires (Argentina)

Cataratas de Iguazú, Misiones (Argentina)

Playa de Isla Mujeres, Quintana Roo (México)

Valle sagrado de Ollantaytambo (Perú)

BLOG DE VIAJES

a. 14 de julio
Estamos cruzando los Andes. Hoy hemos visto el Aconcagua nevado. ¡Es magnífico! Mañana, en cuanto lleguemos a Mendoza, buscaré un médico para que me vea este dolor de estómago.

b. Si viajas a Perú o Bolivia, como al valle de Ollantaytambo, recuerda que hay muchas áreas que están a más de 4 000 metros de altitud. A medida que subes, notarás los efectos del soroche o mal de altura. En cuanto notes mareos o dolores de cabeza, reposa y bebe líquido abundante. El té de hojas de coca también puede ayudar.

c. Hoy hemos dado un paseo en barca por Xochimilco, en México D.F. Los canales están llenos de barcas pintadas en colores vivos. Suena la música de mariachis que van en sus propias barcas. Te llegan los olores de comidas: hay barcas con mujeres que llevan pucheros calientes. Los pasajeros de los barcos las llaman y ellas acuden remando, se sujetan a la borda del barco grande y sirven comida caliente y deliciosa a los pasajeros...

d. Gracias por tus comentarios iván433. Si estás interesado en playas vírgenes y buceo, te recomiendo la *Guía de la naturaleza*. Ahí encontrarás todo lo que buscas.

e. Esta preciosa biblioteca fue antes el teatro Grand Splendid, del cual conservó su elegante arquitectura destacando las luces y los palcos. Desde afuera parece una simple librería, pero una vez adentro, nos quedamos deslumbrados con las luces y la distribución de los libros en este viejo teatro.

f. Hemos conocido a Rangel, un estudiante de Derecho. Nos cuenta que la mejor manera de ver las cataratas es desde el lado argentino, que es donde están... ¡el 80 % de las 275 cataratas! ¿De dónde sacará tanta información? Supongo que habrá estado en las cataratas varias veces.

CREA TU BLOG DE VIAJE

2. **Escribe una entrada de un blog de viajes.**

- Elige una región o ciudad y escribe un blog de unas 100 palabras describiendo ese lugar.
- Pasa tu blog a dos compañeros para que lo lean. Estos te harán dos preguntas cada uno.
- Lee tú las descripciones de tus compañeros y prepara dos preguntas para cada uno.
- Contesta las preguntas de tus compañeros y muéstraselas.

DESTINO

ITINERARIO

DESCRIPCIÓN

CONSEJOS DE VIAJE

9

CÓDIGO
DE ACCESO

○ Las cuatro «*smart* ciudad» en la América hispanófona

EXTENSIÓN CULTURAL

Amplía tus conocimientos en **www.edelsa.es** >

aulavirtual
amplía tus conocimientos on-line

Competencia	Competencia	Competencia	Competencia
pragmática	**lingüística: gramática**	**lingüística: léxico**	**sociolingüística**

- opinar sobre el futuro tecnológico
- hacer hipótesis sobre las ciudades del futuro
- debatir sobre los inventos más importantes

- oraciones finales
- oraciones consecutivas
- verbos de cambio

- los inventos
- el desarrollo tecnológico
- la tecnología

- la domótica y los hogares digitales
- los inventos españoles más importantes
- un invento del CSIC

¿ DESARROLLO DE LA HUMANIDAD
O VIAJE A NINGUNA PARTE?

Lee esta información y di qué avances te parecen mejores y cuáles no. Explica los motivos.

Lee y opina

Comprensión lectora

Ciudades eficientes, edificios inteligentes

LAS CIUDADES DEL FUTURO

1. Lee este informe.

LA ARQUITECTURA FUTURISTA

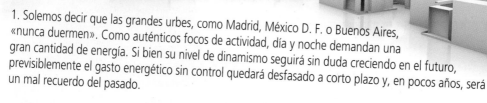

1. Solemos decir que las grandes urbes, como Madrid, México D. F. o Buenos Aires, «nunca duermen». Como auténticos focos de actividad, día y noche demandan una gran cantidad de energía. Si bien su nivel de dinamismo seguirá sin duda creciendo en el futuro, previsiblemente el gasto energético sin control quedará desfasado a corto plazo y, en pocos años, será un mal recuerdo del pasado.

2. En un futuro no muy lejano, las ciudades se harán inteligentes, con edificios que no solo serán eficientes en el consumo de energía, sino que serán capaces de generar sus propios recursos energéticos. Esta será una de las claves del desarrollo urbano de los próximos años y todo un reto para arquitectos, ingenieros y urbanistas. La realidad es que actualmente las ciudades consumen más de la mitad de la energía que se produce en el mundo. Y podemos hacer mucho para mejorar este dato.

3. En este sentido, la tecnología ya nos permite crear edificios o rehabilitar los ya existentes para que consigan minimizar el gasto en los puntos críticos donde se produce el mayor consumo energético: la climatización y la iluminación.

4. Los edificios del futuro serán los pilares para las nuevas ciudades, auténticos generadores de energía capaces de satisfacer sus propias necesidades y, además, de abastecer a otros con sus excedentes energéticos. Para lograrlo, las energías renovables tendrán un importante papel, por ejemplo, por medio de instalaciones fotovoltaicas sobre el tejado que aprovechan la luz solar o los sistemas de climatización mediante geotermia, uso del calor de la Tierra. Las tecnologías de la información y la comunicación tienen, asimismo, mucho que aportar interconectando edificios, así como la domótica, la mejora de los aislamientos en los inmuebles y el cambio en los hábitos de consumo.

5. En el ámbito del desarrollo de proyectos para edificios energéticamente eficientes, la Comisión Europea ha puesto en marcha un presupuesto global de 1000 millones de euros; para las fábricas del futuro, otros 1 200 millones de euros y para el desarrollo de coches verdes, fundamentalmente eléctricos, 5 000 millones de euros. Con estos recursos, las ciudades se volverán más habitables.

6. Por supuesto, estos avances tendrán importantes repercusiones positivas para las empresas, instituciones y los ciudadanos, al generar ahorros económicos, y también medioambientales, pues con un menor consumo habrá una reducción de las emisiones de gases de efecto invernadero, como el CO_2.

Extraído y adaptado de http://twenergy.com/a/ciudades-eficientes-edificios-inteligentes-165

2. Relaciona estos títulos con el significado de cada uno de los párrafos.

a. Las medidas que se han tomado para lograr el ahorro de energía en las ciudades. ☐
b. Aspectos en los que se producirá el mayor ahorro de gasto. ☐
c. Gasto de energía de las grandes ciudades en el futuro. ☐
d. Las consecuencias del ahorro del gasto de energía en las ciudades. ☐
e. Las grandes ciudades serán autosuficientes en el consumo de energía. ☐
f. Medios para lograr el ahorro de energía en las ciudades. ☐

3. Ponle un título al informe y resume el contenido en un párrafo.

Comprensión **lectora**

APRENDE VOCABULARIO

4. Busca estas palabras en el informe. Luego, relaciónalas con sus sinónimos.

RELACIONA

1. Urbes
2. Demandan
3. Desfasado
4. Eficientes
5. Generar
6. Recursos
7. Claves
8. Rehabilitar
9. Pilares
10. Excedentes
11. Inmuebles
12. Repercusiones

a. Anticuado
b. Ciudades
c. Edificios
d. Efectos
e. Renovar
f. Medios
g. Piden
h. Producir
i. Puntos fundamentales
j. Que sobran
k. Que aprovechan los recursos
l. Soportes materiales

5. Fíjate en estas palabras derivadas y escribe el verbo del que proceden.

CLIMATIZACIÓN

REDUCCIÓN

REPERCUSIÓN

6. Relaciona los finales de los verbos con el sufijo y busca más ejemplos en el informe.

-ar, como en *iluminar*	-sión
-cer o -cir como en *inducir*	-cción
-ter, -tir, -der o -dir, como en *tender*	-ación

7. Forma los sustantivos de los siguientes verbos.

COMUNICAR

DISCUTIR

EXTENDER

ILUMINAR

INFORMAR

PRODUCIR

FÍJATE EN LA GRAMÁTICA

8. Fíjate en las siguientes expresiones finales y escribe otras relacionadas con el contenido del texto.

*Podemos hacer mucho **para mejorar** este dato.*
***Para que consigan** altos niveles.*
***Para lograrlo**, las energías renovables tendrán un importante papel.*

Para que las ciudades sean sostenibles, ...
Para ahorrar energía, ...

9. Observa estos dos ejemplos del informe y redacta otras frases con *hacerse* y *volverse*.

*En un futuro no muy lejano, las ciudades **se harán** inteligentes.*
*Con estos recursos, las ciudades **se volverán** más habitables.*

OPINA: ¿ES CIENCIA FICCIÓN?

10. ¿Piensas que este artículo es ciencia ficción? ¿Será posible que en el futuro las ciudades ahorren más energía y sean sostenibles? ¿Qué haría falta para conseguirlo?

Torre Agbar, Barcelona (España)

Comprensión auditiva

► PREPÁRATE

¿QUÉ ES LA DOMÓTICA?

1. Lee la definición que da la RAE. El concepto está asociado a «hogar digital». ¿Qué interpretas tú que quiere decir?

Diccionario de la lengua española | Real Academia Española

lema.rae.es/drae/?val=tapa

REAL ACADEMIA ESPAÑOLA

ASALE | Fundación pro-RAE | NDHE

La institución   Obras académicas   Biblioteca y Archivo   Consultas lingüísticas   Boletines   Comunicación   Recursos

Inicio » Recursos » Diccionarios » Diccionario de la lengua española

domótica

(Del lat. *domus*, casa, e inform*ática*)

1. F. Conjunto de sistemas que automatizan las diferentes instalaciones de una vivienda.

Diccionarios

Diccionario de la lengua española

Diccionario de la lengua española

La edición 23.ª del *Diccionario* se ha publicado en octubre de 2014. Mientras se trabaja en la edición digital, que estará disponible próximamente, **esta versión electrónica permite acceder al contenido de la 22.ª**

2. Observa estas fotos y explica qué incidentes domésticos refleja cada uno. ¿Cuáles de ellos crees que podría evitar la domótica?

1. ☐

2. ☐

3. ☐

4. ☐

▶ **COMPRENDE**

ENTREVISTA A UN EXPERTO EN DOMÓTICA

PISTA 🎧 | *Actividad interactiva de audio descargable en* tuaulavirtual

tuaulavirtual

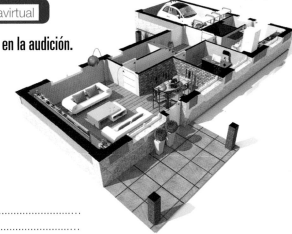

3. Escucha esta entrevista y señala qué aspectos se mencionan en la audición.

1. Problemas e inconvenientes de la domótica. ☐
2. En qué tipos de casas hay más demandas de domótica. ☐
3. La protección de las viviendas. ☐
4. La prevención de incendios. ☐
5. Formas sencillas de mejora de nuestras casas. ☐
6. Nuevas tendencias de la domótica. ☐

4. Completa las siguientes frases teniendo en cuenta lo que has oído.

1. Una ventaja de la domótica es ………………………………………………………………
2. Los sistemas de seguridad permiten a los propietarios ………………………………………
3. Si se produce una fuga, ………………………………………………………………………
4. La inversión en domótica puede ser …………………………………………………………
5. El papel de Internet es ………………………………………………………………………

5. Clasifica estas funciones con las prestaciones de la domótica.

- alarma antirrobos
- control de climatización
- cortar el suministro en caso de fuga
- encendido o apagado de calefacción a distancia
- poner en marcha electrodomésticos por teléfono
- proporcionar vigilancia
- proteger el hogar cuando no estamos
- simulación de presencia
- subir o bajar las persianas por ordenador

SEGURIDAD

CONFORT

▶ **REFLEXIONA**

CAUSAS O CONSECUENCIAS

6. Fíjate en las siguientes frases, que expresan consecuencia, y transfórmalas para expresar causa.

El sistema es **tan rápido que**, de forma telefónica o por correo electrónico, la fuga se comunica inmediatamente.

La domótica hoy no puede prescindir de Internet. [...] **Por tanto**, el desarrollo de la domótica no se puede entender sin Internet.

▶ **DEBATE**

LAS CASAS DEL FUTURO

7. Expresa tu opinión.

- ¿Cómo afectará el desarrollo de la técnica a las casas del futuro?
- ¿Será un lujo solo para ricos?
- ¿Qué aplicaciones podrá tener la domótica en los edificios públicos y privados?

Aprende y practica ▶ Oraciones consecutivas y finales, y verbos de cambio

Evalúate

Total _____ / 31

LAS ORACIONES CONSECUTIVAS

Las oraciones consecutivas van detrás de la oración principal, de la que están separadas por una coma, un punto o un punto y coma. Estas oraciones van en indicativo, excepto cuando usamos la locución **de ahí que**, que lleva subjuntivo.

No tenía tu teléfono; por eso no te llamé.
Vivió muchos años en Inglaterra; de ahí que sepa inglés.

Estas oraciones expresan una consecuencia y pueden ser:
1. La consecuencia de una cualidad: **tan... que**, **tanto que**.
Es tan caro que casi nadie lo puede comprar.
Corre tanto que no lo alcanzo.
2. La consecuencia de una cantidad: **tanto/a/os/as... que**.
Hay tanta gente que es imposible entrar.
Hay tantos invitados que no tenemos suficiente comida para todos.
3. La consecuencia por la manera de hacer algo: **de manera/modo/forma que**, **con lo que**, **por lo que**.
Se comportó muy educadamente, de manera que creó muy buena impresión a todos.
4. Una consecuencia lógica: **por (lo) tanto**, **en consecuencia**, **por consiguiente**, **por lo que** y **de ahí que**.
Sonó la alarma. De ahí que se fuera corriendo.

---

1. **A partir de estos pares de frases, forma una oración consecutiva.**

a. Muchos avances técnicos son caros/Muy poca gente los puede disfrutar.
....

b. En las grandes ciudades hay muchos coches/Necesitamos más aparcamientos.
....

c. Su pasaporte está caducado/No es posible comprar un billete de avión.
....

d. Trabajó dos años en un restaurante/Ella sabe cocinar perfectamente.
....

e. No gasta casi nada/Ha conseguido ahorrar bastante dinero.
....

f. La policía no presentó pruebas definitivas/El juez puso en libertad al sospechoso.
....

| / 6 |

2. **Subraya la opción adecuada.**

a. Los coches eléctricos no necesitan petróleo, en consecuencia/tanto que los gobiernos quieren extender su uso.

b. Los inventos han hecho más fácil la vida de las personas; de manera que/tanto que la sociedad ve con buenos ojos a los inventores.

c. La tecnología tiene aplicaciones casi infinitas, con lo que/por lo que sus posibilidades de uso son también innumerables.

d. Necesitamos ahorrar energía, con lo que/tanta que es necesario tomar medidas para gastar menos.

e. Los coches diésel contaminan, en consecuencia/de tal manera que debemos limitar su uso en las grandes ciudades.

| / 5 |

3. **Completa las siguientes frases de forma que tengan sentido.**

a. Las nuevas tecnologías harán ciudades más eficientes; de este modo, ...

b. Los avances técnicos son tan rápidos que ....

c. La investigación científica favorece el desarrollo; por tanto, ...

d. La innovación ha mejorado nuestras condiciones de vida; de ahí que ....

| / 4 |

Gramática

LAS ORACIONES FINALES

1. Si el sujeto de la oración principal y el de la oración final es el mismo, se utiliza para + infinitivo.
Cambiaremos los materiales de construcción para hacer (nosotros) ciudades más sostenibles.

2. Cuando el sujeto de la oración principal y el de la subordinada son distintos, se usa para que + subjuntivo.
Los políticos cambiarán las leyes para que los ciudadanos respetemos el medio ambiente.

3. Otros conectores finales son:
- **A (que)**, solo con verbos de movimiento: *He venido a que me hagan un análisis* o *He venido a hacerme un chequeo médico.*
- **A fin de (que), a efectos de (que), con motivo de (que), con (el) objeto de (que), al objeto de (que), con el fin de (que).**
Con objeto de evitar atascos, abriremos dos carriles alternativos.

4. Construye oraciones finales.

a. Saldremos antes de tiempo. No queremos perder el avión.

....

b. Hay que invertir en energías renovables. No debemos agotar los recursos del planeta.

....

c. Tenemos que practicar la lengua. Tenemos que hablar con más fluidez.

....

d. El Gobierno debería invertir más en investigación. Los científicos necesitan más medios para avanzar en su trabajo.

....

5. Subraya la opción correcta.

/ 4

a. Para que lo entiendas/entenderlo bien, te lo explicaré de nuevo.

b. Para llegar/que lleguemos a fin de mes, debemos ahorrar.

c. A fin de llegar/que lleguemos a más gente, usaremos las redes sociales.

d. Es bueno ir bien vestido para causar/que cause buena imagen.

/ 4

LOS VERBOS DE CAMBIO

Hacerse indica un cambio de profesión, estatus, ideología o nacionalidad.
Se hizo rico con un negocio de venta por Internet.

Volverse indica un cambio en el carácter o la personalidad, normalmente con sentido negativo.
Se ha vuelto muy egoísta desde que heredó.

Ponerse es un cambio temporal de estado físico o de ánimo.
Se puso furioso con ese comentario que hiciste.

Quedarse es un cambio que suele implicar una pérdida.
Se ha quedado muy delgado después de esa dieta.

6. Completa las frases con el verbo más adecuado.

a. Se ha .... viudo tras la muerte de su mujer.

b. Se .... muy triste al enterarse de la noticia.

c. Como no encontraba trabajo, cambió de empleo y se .... cocinero.

d. Con lo tímido que era, se .... muy extrovertido.

/ 4

7. Completa las frases con el adjetivo más adecuado.

a. Se quedó muy .... con el regalo que le hiciste.

b. Se ha hecho muy .... gracias a ese programa de televisión.

c. Se ha vuelto .... por todos los fracasos que ha tenido.

d. Se ha puesto muy .... para la fiesta. Se ha arreglado mucho.

/ 4

PROFESIONES TECNOLÓGICAS

1. Di a qué se dedica cada uno de estos científicos.

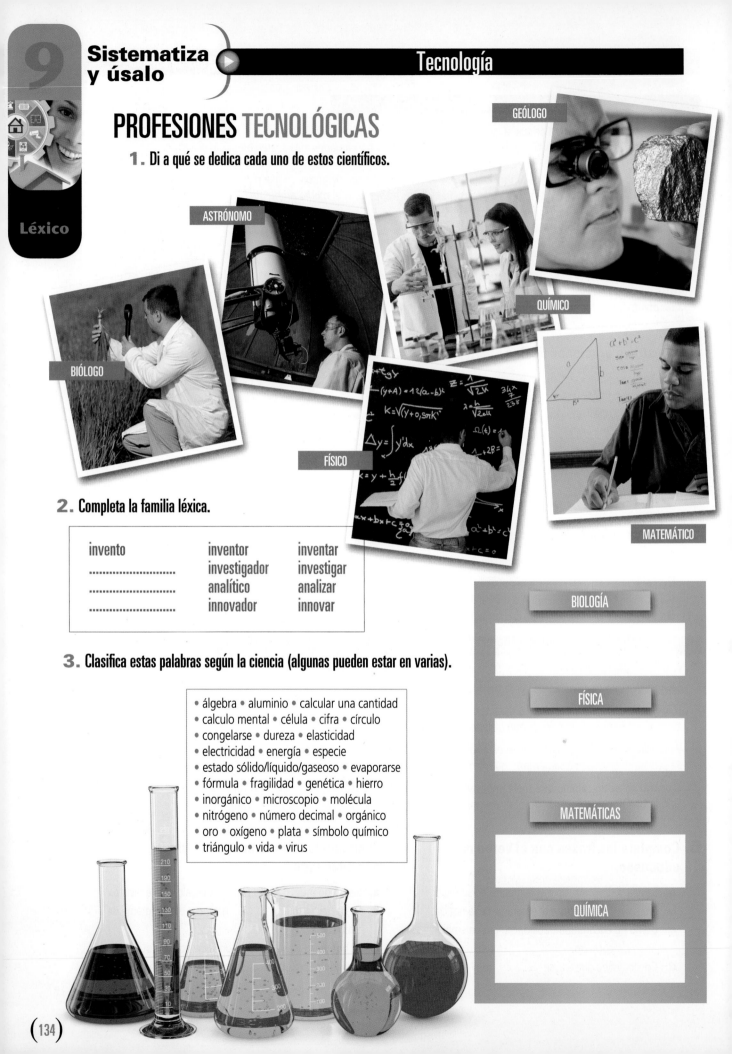

GEÓLOGO

ASTRÓNOMO

QUÍMICO

BIÓLOGO

FÍSICO

MATEMÁTICO

2. Completa la familia léxica.

invento	inventor	inventar
....	investigador	investigar
....	analítico	analizar
....	innovador	innovar

3. Clasifica estas palabras según la ciencia (algunas pueden estar en varias).

- álgebra • aluminio • calcular una cantidad
- calculo mental • célula • cifra • círculo
- congelarse • dureza • elasticidad
- electricidad • energía • especie
- estado sólido/líquido/gaseoso • evaporarse
- fórmula • fragilidad • genética • hierro
- inorgánico • microscopio • molécula
- nitrógeno • número decimal • orgánico
- oro • oxígeno • plata • símbolo químico
- triángulo • vida • virus

BIOLOGÍA

FÍSICA

MATEMÁTICAS

QUÍMICA

TERMINOLOGÍA CIENTÍFICA

4. Completa con la palabra adecuada.

- análisis
- fórmula
- ley
- métodos
- principio
- símbolos
- investigación
- teorías

Según el célebre libro *Álgebra elemental*, de Baldor, una .... es la expresión de una .... o de un .... general por medio de .... o letras.
Las ciencias experimentales suelen usar estos lenguajes llenos de fórmulas para hacer más claros sus ...., para que se puedan aplicar mejor sus .... de trabajo en cualquier otra .... o para entender las .... sobre las realidades que quieren estudiar.

5. Pon ejemplos concretos de estos conceptos.

- nuevas tecnologías
- avance científico
- avance tecnológico
- método de análisis científico
- área de conocimiento

6. Relaciona y forma expresiones.

RELACIONA

1. Desarrollar
2. Introducir
3. Demostrar
4. Confirmar
5. Basarse en
6. Ser objeto
7. Exponerse a/Protegerse de
8. Aprovechar/Agotarse
9. Preservar

a. de estudio/de análisis.
b. el medio ambiente.
c. la radiación solar.
d. los recursos naturales.
e. una hipótesis.
f. una investigación/un estudio.
g. una técnica.
h. una tesis.
i. una teoría.

LAS NUEVAS TECNOLOGÍAS

7. Describe las características y funciones de estas aplicaciones de la informática.

PROCESADOR DE TEXTOS
BASE DE DATOS
HOJA DE CÁLCULO
DISCO DURO
MONITOR
ALTAVOZ
ESCÁNER
MÓDEM
RATÓN
CURSOR
ESCRITORIO

8. Explica en qué consisten estas operaciones que hacemos con el ordenador.

- pinchar, hacer doble clic, arrastrar
- cambiar el tipo/el tamaño de letra
- grabar un archivo
- maximizar/minimizar una ventana/un documento
- (re)iniciar/bloquear(se) el ordenador/la computadora

Exprésate ▶ ¿El invento más importante para la humanidad?

PREPÁRATE: UN INVENTO PARA LA HUMANIDAD

1. Estos son los 10 inventos españoles más importantes. Conócelos.

1. El submarino: En 1859, Narciso Monturiol diseñó el primer buque sumergible impulsado manualmente e Isaac Peral creó en 1888 un submarino de acero impulsado por energía eléctrica.

2. El futbolín: Alejandro Campos Ramírez creó esta peculiar máquina para que él mismo y los niños heridos en la Guerra Civil pudiesen seguir jugando al fútbol. Para ello, juntó en un tablero varillas metálicas con figuras de madera pintadas y un balón, también de madera.

3. El cigarrillo: Su origen se remonta a la Sevilla del siglo XVI, cuando los mendigos recogían restos de hojas de tabaco que encontraban para triturarlas y envolverlas en papel de arroz. No fue hasta el año 1833 cuando la primera cajetilla se vendió con el nombre de «Cigarrillos superiores».

4. La fregona: Manuel Jalón creó en 1956 su primera unión entre un palo y un penacho de fajas de algodón. A lo largo de los años, el prototipo fue perfeccionándose hasta convertirse en uno de los mayores inventos españoles de la historia.

5. El Chupa Chups: En esos mismos años, Enric Bernat tuvo la simple idea de introducir un palo en un caramelo. De esta forma los niños podían comerse el caramelo con la menor posibilidad de atragantarse.

6. Jeringuilla desechable: Después de crear la fregona, Manuel Jalón aprovechó el creciente uso del plástico de los años 60 para mejorar la jeringuilla hipodérmica y crear la primera desechable. Desde que en 1975 Jalón pusiera en marcha Fabersanitas, su fábrica de jeringuillas y agujas desechables, se han vendido miles de millones en todo el mundo.

7. Autogiro: Juan de la Cierva ideó y construyó, a principios de los años 20, la primera pieza voladora precursora de los helicópteros modernos. Sin embargo, en los últimos años se ha descubierto que la idea central de este invento fue de Pere Sastre Obrador.

8. El Talgo: En 1942, Alejandro Goicoechea dominó el mercado mundial durante años con su tren de alta velocidad.

9. El traje de astronauta: Emilio Herrera Linares diseñó en 1935 la «escafandra estratonáutica», el primer traje espacial. Gracias a este diseño, se desarrollaron el resto de trajes de astronauta que conocemos hoy en día.

10. Laringoscopio: Un cantante de ópera, Manuel Vicente Patricio Rodríguez Sitches (más conocido como Manuel Vicente García), creó un invento que revolucionaría la sanidad española y también la mundial: consiguió, en 1855, estudiar la anatomía de su propia laringe gracias a un espejo de dentista.

2. Lee estos motivos para defender los 10 inventos y relaciona cada motivo con su invento.

a. Diseñó una nueva forma de moverse y llegar a lugares hasta entonces casi inaccesibles. ☐
b. Evita la incomodidad de tener que hacerlo uno mismo, pero mata. ☐
c. Ha conseguido que los límites del ser humano no sean la Tierra. ☐
d. Ha creado un juego muy económico para todos los niños. ☐
e. Ha quitado muchos dolores de rodillas al hacer una tarea doméstica muy necesaria. ☐
f. Ha salvado muchas vidas gracias a poder hacer un diagnóstico certero. ☐
g. Mejoró las comunicaciones y permitió transportar a muchas personas rápidamente. ☐
h. Permite que muchos padres estén tranquilos con las chucherías de sus pequeños. ☐
i. Permitió controlar la zona marítima de cada país. ☐
j. Salva muchas vidas al evitar contagios indeseados. ☐

TERTULIA

3. Debate con tus compañeros: ¿Qué queda por inventar?

Nada nuevo bajo el sol

La clase se divide en grupos y cada uno de ellos tiene que proponer un invento, argumentando las razones por las que lo hace.

> LA MANO BIÓNICA
> DISEÑAN UN CINTURÓN ABRELATAS
> UN AIRE ACONDICIONADO UNIPERSONAL Y TRANSPORTABLE
> LA IMPRESORA DE TRES DIMENSIONES
> EL TELETRANSPORTADOR DE PARTÍCULAS

Previamente piensa en una necesidad para la que no dispongamos de ningún aparato.

El portavoz debe explicar los siguientes puntos:

- Justificar su necesidad
- El nombre del invento
- Sus características (forma, materia, etc.)
- Su utilidad (debe describir sus funciones)
- Su funcionamiento (qué mecanismos tendría)
- Sus costes materiales

La clase decide de las propuestas:

> ¿Cuáles son viables?
> ¿Cuáles son más útiles?
> ¿Cuáles son más sorprendentes?

Los textos científicos (tesis, informes, monografías) tienen como finalidad la transmisión del conocimiento. Se escriben con un estilo objetivo e impersonal y presentan toda la información relevante del tema que tratan de forma concisa y clara.

UN TEXTO CIENTÍFICO

Expresión escrita

1. Lee este texto científico.

Libertad Digital TECNOLOGÍA

OPINIÓN | ESPAÑA | LIBRE MERCADO | INTERNACIONAL | DEPORTES | CHIC | CULTURA | TECNOCIENCIA | MOTOR 16 | SERVICIOS ▼ | LDTV | es
CIENCIA   SALUD   INTERNET   **TECNOLOGÍA**   VIDEOJUEGOS

Adiós a cortinas y persianas: inventan una ventana que se oscurece sola

El CSIC (la institución científica española pública más prestigiosa) ha desarrollado una tecnología que provoca unas reacciones químicas y físicas que hacen que el vidrio de una ventana transparente se convierta en opaco.

Investigadores del Consejo Superior de Investigaciones Científicas (CSIC) han desarrollado una novedosa técnica que permite reducir los costes de «ventanas inteligentes» con las que se puede controlar la cantidad de luz que pasa a través de un cristal.

Según han explicado los expertos, en cuestión de segundos, mediante un interruptor, se puede activar esta tecnología que provoca unas reacciones químicas y físicas que hacen que el vidrio de una ventana transparente se convierta en opaco.

Como explica David Levy, investigador del CSIC: «Si bien ya existen otros modelos, una de las ventajas de la tecnología desarrollada es su coste. Su producción es más sencilla y barata porque los materiales que se emplean son menos costosos. Por ejemplo, producir un metro cuadrado de otros modelos cuesta miles de euros, mientras que en nuestro caso solo es de varios céntimos de euro. Eso permitirá una amplia fabricación de "ventanas inteligentes" a un precio razonable».

Del mismo modo, ha señalado que las aplicaciones de estas «ventanas inteligentes» son numerosas. Se pueden usar sobre superficies flexibles, planas, curvas, de cristal o poliméricas, lo que permite utilizar estos vidrios en diferentes tipos de ventanas, puertas, paneles divisorios en salas de reuniones o lucernarios.

Además, no solo son útiles en la protección frente a la radiación solar, sino que también sirven como elemento de decoración y protección de la privacidad tanto en el interior como en el exterior de edificios.

En los últimos años la tendencia en el sector de la construcción es el uso de vidrio en las fachadas, según señala este equipo de científicos, pero se tiene muy en cuenta que sean edificios energéticamente sostenibles.

Levy y su compañero Marcos Zayat, también del CSIC, señalan que estas nuevas «ventanas inteligentes» «se ajustan a la necesidad de aumentar la eficiencia energética aplicando nuevas tecnologías a las ventanas y fachadas de las edificaciones. Se consiguen optimizar los recursos energéticos, reduciendo la carga de aire acondicionado en verano y de calefacción en invierno».

En definitiva, las investigaciones del CSIC hacen que la verdadera eficiencia en los hogares sea cada vez una realidad más próxima.

Extraído y adaptado de www.libertaddigital.com/ciencia-tecnologia/2015-02-03

Ventanas inteligentes
Conozca las ventanas de última tecnología

Pulse para ver el vídeo de demostración

CSIC
CONSEJO SUPERIOR DE INVESTIGACIONES CIENTÍFICAS

2. Responde a estas preguntas.

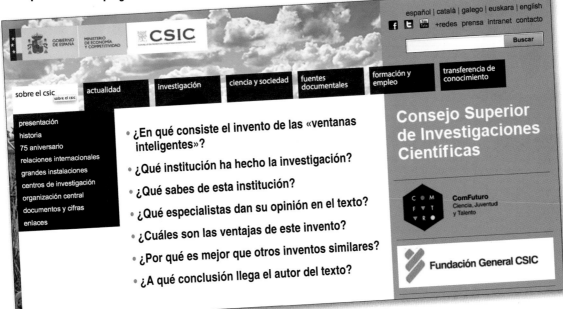

español | català | galego | euskara | english

+redes prensa intranet contacto

Buscar

sobre el csic   actualidad   investigación   ciencia y sociedad   fuentes documentales   formación y empleo   transferencia de conocimiento

presentación
historia
75 aniversario
relaciones internacionales
grandes instalaciones
centros de investigación
organización central
documentos y cifras
enlaces

- ¿En qué consiste el invento de las «ventanas inteligentes»?
- ¿Qué institución ha hecho la investigación?
- ¿Qué sabes de esta institución?
- ¿Qué especialistas dan su opinión en el texto?
- ¿Cuáles son las ventajas de este invento?
- ¿Por qué es mejor que otros inventos similares?
- ¿A qué conclusión llega el autor del texto?

Consejo Superior de Investigaciones Científicas

ComFuturo
Ciencia, Juventud
y Talento

Fundación General CSIC

CARACTERÍSTICAS DE UN TEXTO
CIENTÍFICO O TÉCNICO

3. Observa las características y marca ejemplos en el texto sobre el invento del CSIC.

- Todo texto académico necesita una **introducción** o presentación en la que en pocas palabras diga de qué tema va a hablar y avance algún contenido sobre la tesis o idea principal.
- Es conveniente también que el escrito tenga un **título**.
- Conviene cerrar el texto con una **conclusión**. Para ello es aconsejable usar marcadores del tipo: *En conclusión, Por tanto, En resumen,* etc.
- Para darle un aspecto de objetividad, se utilizan **formas impersonales**.
- Es importante indicar las **fuentes de información**, para darle un aire científico.
- No debe haber sobrentendidos. Toda la información relevante ha de ser **explícita**.

REDACTA TU ARTÍCULO

4. Escribe un artículo en el que describas o expongas un asunto científico. Ten en cuenta los siguientes pasos.

- Selecciona las fuentes documentales. Busca en Internet o en una biblioteca la información necesaria.
- Haz una lista de los tecnicismos que puedes necesitar.
- Redacta el texto organizando los párrafos breves y concisos.
- Ten en cuenta el estilo que tienes que emplear.
- Pon un título y haz un brevísimo resumen del contenido del artículo.
- Proporciona tu conclusión personal.

10

EL MUNDO EN ERUPCIÓN

Descubre Costa Rica

EXTENSIÓN CULTURAL

▷ proponer medidas preventivas ▷ describir catástrofes naturales ▷ protestar	▷ perífrasis de inicio y final ▷ perífrasis modales ▷ el pluscuamperfecto de subjuntivo	▷ las catástrofes naturales ▷ la ecología ▷ la naturaleza	▷ sistema de prevención de seísmos en Latinoamérica ▷ la tragedia de Armero ▷ las catástrofes naturales

TESTIGO DE DESASTRES NATURALES

La sequía

El tifón

La marea negra

El incendio forestal

La tormenta tropical

El maremoto

La inundación

La erupción volcánica

En parejas, habla con tu compañero.

¿Cuál de estos problemas medioambientales o desastres naturales has vivido: la contaminación, el terremoto, el huracán, la sequía, la marea negra, la desertización, el maremoto, las inundaciones, el efecto invernadero, el agujero de la capa de ozono, el tifón, la tormenta tropical, los incendios forestales, etc.? ¿En qué partes del mundo crees que se producen los mayores desastres naturales? ¿Por qué producen tanta destrucción en estos países? ¿Crees que se podría hacer algo para prevenir estas catástrofes?

10

Lee y opina

Comprensión lectora

CUESTIÓN DE PREVENCIÓN

1. Lee el artículo y contesta a las preguntas.

EL PAÍS

| PORTADA | **INTERNACIONAL** | POLÍTICA | ECONOMÍA | CULTURA | SOCIEDAD | DEPORTES |

INTERNACIONAL

EUROPA   EE UU   MÉXICO   AMÉRICA LATINA   ORIENTE PRÓXIMO   ASIA   ÁFRICA   BLOGS   CORRESPONSALES   TITULARES »

MÁS TEMAS »

▶ TEMAS DEL DÍA   Hong Kong   Estado Islámico   Crisis en Ucrania   Elecciones Brasil

Latinoamérica busca controlar los desastres naturales con sus tecnologías

Entre enero y marzo del año pasado, más de medio millón de personas en América Latina y el Caribe se vieron afectadas por desastres naturales, la gran mayoría por inundaciones debidas a cambios intensos en el régimen de lluvias anuales, según la ONU. De acuerdo a estimados del Banco Mundial que acaba de publicar, las consecuencias de los fenómenos naturales vienen a representar un coste para la región de unos 2 000 millones de dólares anuales. Sin embargo, tales eventos pueden dejar de ser desastres. El uso de la tecnología y una estrategia coordinada para reducir el riesgo con anticipación probablemente deben de reducir muchas pérdidas humanas y económicas.

Hoy en día, más de un 80 % de los latinoamericanos vive en zonas urbanas y, según los expertos, los desastres están asociados con la forma en que las comunidades ocupan y aprovechan el territorio. La construcción inadecuada y la ausencia de planificación en el crecimiento de las ciudades son algunas de las causas. La gestión de riesgo de desastres abarca un conjunto muy amplio de acciones, tales como elaboración de mapas de riesgos, sistemas de alerta temprana, construcción de infraestructuras de protección y educación.

A falta de un informe detallado, se da por demostrado que el riesgo sísmico en el borde costero pacífico y de huracanes en Centroamérica y el Caribe son las amenazas naturales a las cuales mayor número de población está expuesta en la región. «Hay que fortalecer las políticas de ordenamiento territorial y ambiental, generar y compartir sistemáticamente información sobre desastres e integrar criterios de reducción de riesgo en los planes de desarrollo de sectores críticos, como educación, salud, transportes, energía, agua y saneamiento», afirma Fernando Ramírez Cortés, especialista en manejo de riesgos, de desastres del Banco Mundial. Se han registrado algunos avances en la región, como por ejemplo, la creación en 2008 de la plataforma CAPRA, que utiliza tecnología punta para evaluar las probabilidades de múltiples riesgos y ha llegado a generar información preventiva de las zonas más vulnerables al impacto de un desastre. Es una tecnología que ha sido desarrollada por expertos regionales. Hasta ahora CAPRA ha ayudado y ha de seguir ayudando a evaluar el riesgo sísmico en edificios públicos y viviendas, para identificar aquellas estructuras más propensas a sufrir daños durante un terremoto y que tienen que ser reforzadas. La iniciativa no ha cesado de crecer y, aunque nació para cubrir las necesidades en Centroamérica, vulnerable a los desastres, ahora se ha puesto a trabajar en Perú, Colombia y Chile, que tienen en común pertenecer al cinturón de fuego del Pacífico, una de las zonas sísmicas más activas del mundo.

1. ¿Por qué fenómeno natural se han visto afectadas grandes zonas de Centroamérica y el Caribe? ¿A qué se ha debido? ¿Qué repercusiones económicas conlleva?

2. Según el artículo, ¿qué se puede hacer para evitar estos desastres?

3. Menciona algunos de los factores que pueden ser causantes de estos desastres naturales.

4. ¿Qué hace exactamente la gestión de riesgo de desastres?

5. El riesgo sísmico está relacionado con...   1. el huracán.   2. el terremoto.   3. el tsunami.

6. ¿Qué es y cuándo se creó CAPRA?

7. ¿Qué países se han sentido beneficiados por este organismo? ¿Qué fenómeno natural tienen en común?

8. Menciona los desastres naturales que aparecen en el texto.

2. Relaciona las palabras con su significado.

RELACIONA

1. Infraestructura
2. Planificación
3. Riesgo
4. Deficiencia
5. Reto

a. Situación difícil o peligrosa con la que alguien se enfrenta.
b. Posibilidad de que se produzca un peligro o contratiempo.
c. Conjunto de medios técnicos, servicios e instalaciones.
d. Plan organizado para conseguir un objetivo.
e. Defecto o imperfección debido a la carencia de algo.

3. Marca la opción correcta.

1. «Vulnerabilidad» es...
a. que puede ser lastimado o herido, ya sea física o moralmente.
b. capacidad para solucionar los problemas.

2. «Beneficiario» significa...
a. que beneficia a los demás.
b. que obtiene beneficio o provecho de determinada cosa.

3. «Propenso» quiere decir...
a. que es frecuente algo, o que suele hacerlo.
b. que no le gusta hacer ciertas cosas.

FÍJATE EN LA GRAMÁTICA

4. En el texto hemos marcado unas construcciones verbales. Obsérvalas y clasifícalas en el siguiente cuadro. ¿Conoces alguna más? Añádela.

Expresan obligación	Presentan una hipótesis o un dato aproximado	Indica el principio de una acción	Marcan el final de una acción	Muestran el resultado de una acción
1.		1.	1.	1. ....
2.	1.		2.	2. ....
3.	2.		3.	3. ....
			4.	4. ....
				5. ....

5. Completa con estas perífrasis en el tiempo y forma adecuados: *ponerse a, cesar de, haber de, venir a, ser.*

1. Tras las fuertes lluvias torrenciales del fin de semana, la región .... declarada zona catastrófica.
2. Las ONG (organizaciones no gubernamentales) .... ayudar, en la medida de lo posible, a que los habitantes recuperen sus cultivos tradicionales.
3. Tras el terremoto de la semana pasada, los voluntarios desplazados al lugar ayer ya .... trabajar de sol a sol.
4. El coste de la reconstrucción del país por el terremoto que asoló Haití .... ser de unos 14 000 millones de dólares.
5. Afortunadamente durante este mes la Cruz Roja no .... mandar alimentos y ropa a las zonas afectadas por el huracán. La población necesita de todo.

OPINA: DISMINUIR LAS CONSECUENCIAS

6. En parejas, piensa cómo se pueden disminuir las consecuencias de los desastres naturales. Utiliza las perífrasis anteriores.

Ejemplo: Los políticos han de preocuparse más por los afectados por los desastres naturales.

▶ **PREPÁRATE**

LA TRAGEDIA DE ARMERO

1. Lee estos textos y responde a las preguntas.

EL ESPECTADOR

La tragedia de Armero en el departamento de Tolima (Colombia) y las fotografías de las víctimas de la tragedia llamaron la atención de la opinión pública e iniciaron una controversia sobre el grado de responsabilidad del Gobierno colombiano en la catástrofe. Tras sesenta y nueve años de inactividad, la erupción tomó por sorpresa a los poblados cercanos, a pesar de que el Gobierno había recibido advertencias por parte de múltiples organismos vulcanológicos desde la aparición de los primeros indicios de actividad volcánica en septiembre de 1985.

Erupción Nevado del Ruiz

Inundaciones

La ciudad destruida de Armero

FARÁNDULA Y CRITICA TV - 2014, 15 AÑOS

CRITICA INDEPENDIENTE DE TELEVISIÓN: Artículos y comentarios sobre la TV colombiana y latina, sus actores, directores, libretistas, clips de farándula y el popular Salpicón farandulero. Desde Cali Valle del Cauca para el mundo.

martes, noviembre 9

Suscribirse a Farándula y Critica

Armero, 25 años de una tragedia, relatos de supervivientes.
Por: Javier Santamaría

🔊 Entradas ⌄

🔊 Comentarios ⌄

Javier Santamaría nos cuenta:

«A veces pienso que, si mi familia y yo no nos hubiéramos marchado de Armero, no habría podido relatarles la historia de una de las supervivientes de la tragedia que no solo enlutó a Colombia, sino al mundo entero un miércoles 13 de noviembre de 1985.

La erupción del volcán Nevado del Ruiz provocó que miles de toneladas de nieve se desprendieran cayendo al cauce del río Lagunilla produciendo de inmediato un descomunal aumento en su caudal que generaron múltiples avalanchas con velocidades aproximadas a los 300 kilómetros hasta convertirse en una mortífera masa de lodo, rocas, árboles, animales, lava hirviente, deslizándose en cuestión de minutos por la cordillera andina hasta llegar a la ciudad blanca de Armero, cual gigantesco monstruo asesino presto a devorar a sus indefensas víctimas, muchas ya en los brazos de Morfeo. Eran aproximadamente las 11:30 p. m. Mi prima hermana Patricia Pinto Santamaría, con escasos diez años, milagrosamente sobrevivió a la tragedia que esa noche acabó con la vida de cerca de 25 000 personas, muchas de ellas, nuestros amigos más cercanos y queridos. He aquí su historia… ».

1. ¿Dónde y cuándo ocurrió la tragedia?
2. ¿Qué provocó la tragedia?
3. ¿Por qué hay sectores que culpan al Gobierno colombiano de una catástrofe natural?
4. ¿Quién es Javier Santamaría? ¿Y Patricia Pinto Santamaría?

2. Busca estas palabras en los textos e indica su significado.

1. «**Controversia**» significa...   **a.** decisión.   **b.** discusión.
2. «**Indicios**» significa...   **a.** sospechas.   **b.** señales.
3. «**Superviviente**» significa...   **a.** longevo.   **b.** que se salva de un accidente.
4. «**Enlutar**» significa...   **a.** entristecer.   **b.** morirse de repente.
5. «**Mortífero**» quiere decir...   **a.** que es de grandes dimensiones.   **b.** que puede causar la muerte.
6. «**Lodo**» quiere decir...   **a.** barro, agua y arena juntos.   **b.** basuras.
7. «**Devorar**» quiere decir...   **a.** comer, tragar.   **b.** querer, desear.

▶ **COMPRENDE**

UN TESTIMONIO DE LA TRAGEDIA

3. Escucha un fragmento del relato de Patricia Pinto Santamaría y corrige las frases que sean incorrectas.

PISTA 🎧 16

uaulavirtual

Actividad interactiva de audio descargable en tuaulavirtual

1. A Patricia le dijeron que no debía preocuparse por la arena del volcán.
2. Dos horas más tarde todo comenzó a temblar.
3. Su madre y ella se echaron a correr como locas para evitar la lava.
4. Como Patricia sufría de asma, su madre la ayudó a subir a la loma.
5. Los ancianos no cesaban de llorar porque no sabían lo que estaba pasando.
6. Todos se sentían muy angustiados porque veían a gente hundida en el lodo.
7. La tierra no volvió a temblar más, por eso estaban más tranquilos.
8. Fue el viernes cuando unas almas caritativas les dieron de comer y beber.
9. En Guayabal se encontraron con su papá y con su hermano mayor.

Víctimas de la tragedia

▶ **REFLEXIONA Y PRACTICA**

OJALÁ NO HUBIERA OCURRIDO NUNCA

4. Observa estos pensamientos de Patricia Pinto Santamaría y responde a las dos preguntas siguientes.

> *Ojalá hubieran avisado a la población con antelación.*
> *Ojalá hubieran podido rescatar a más víctimas con vida de entre tanto fango.*
> *Ojalá nunca hubiera sucedido esta tragedia.*

1. ¿Cuál es la intención de las frases?
   - Expresan un deseo de que ocurra algo en el futuro.
   - Se lamentan por algo que no ocurrió.
   - Indican el deseo imposible de un pasado distinto.
2. Marca la nueva forma verbal. Es el pluscuamperfecto de subjuntivo. ¿Puedes deducir cómo se forma?

5. Termina las frases como quieras.

1. Ojalá hubieran alertado...
2. Ojalá hubiera aprendido...
3. Ojalá hubieran llegado...

4. Ojalá hubieran dicho...
5. Ojalá las infraestructuras hubieran sido...
6. Ojalá las lluvias no hubieran sido...

▶ **DEBATE**

LA RESPONSABILIDAD DE LAS AUTORIDADES

6. En parejas, discutid vuestra opinión y llegad a un texto común respondiendo a estas preguntas.

- ¿Crees que la tragedia de Armero se podría haber evitado?
- ¿Estás de acuerdo con la idea de que el Gobierno y la Iglesia son también responsables de la tragedia? ¿Por qué?

Gramática

Evalúate

Total _____ / 29

PERÍFRASIS QUE INDICAN EL INICIO DE UNA ACCIÓN

Empezar a o **Comenzar a** + infinitivo
Indican el principio de una acción.
*La gestión de riesgo de desastre empezó a funcionar **hace unos años**.*

Ponerse a + infinitivo
Indica el principio de una acción voluntaria y repentina.
*Los Gobiernos se pusieron a trabajar **para prevenir futuros desastres**.*

Echarse a o **Romper a** + infinitivo
Indican el principio de un movimiento o reacción emocional y repentina.
*Cuando estalló el volcán, nos echamos a correr **como locas**.*

Soltarse a + infinitivo
Indica que se realiza por primera vez en su vida una acción.
*El niño se soltó a andar **al ver a sus padres**.*

1. Subraya las opciones más adecuadas.

a. Cuando vi las escenas de la tragedia en televisión, me puse/eché/comencé/solté a llorar.

b. Mientras oía las noticias, me puse/eché/rompí/solté a llorar.

c. Mi hermana tardó mucho en ponerse/echarse/romper/soltarse a hablar. Tenía ya casi cuatro años.

/ 3

PERÍFRASIS QUE INDICAN EL FINAL DE UNA ACCIÓN

Acabar de + infinitivo
Indica el final reciente de una acción.

*Acaban de publicar **un libro sobre el impacto de los fenómenos naturales en la economía**.*

Dejar de o **Cesar de** + infinitivo
Indican la interrupción de una acción.

*El volcán ha dejado de escupir **lava, por fin**.*

Llegar a + infinitivo
Indica la realización de una acción como un éxito.

*CAPRA ha llegado a generar **información preventiva muy útil**.*

2. Relaciona.

a. Ha dejado de llover.
b. Acaba de llover.
c. Ha llegado a llover.
d. No ha cesado de llover.

1. Hace unos minutos estaba lloviendo, ahora no.
2. Por fin ha llovido.
3. Llueve sin parar.
4. Ya no llueve más.

/ 4

PERÍFRASIS QUE INDICAN EL RESULTADO DE UNA ACCIÓN PREVIA

Estar + participio
Indica el resultado de una acción sin expresar el agente.
*Los desastres están asociados **al lugar que ocupan algunas comunidades**.*

Ser + participio
Indica el proceso pasivo y se puede indicar el agente.
*La tecnología CAPRA ha sido desarrollada **por expertos regionales**.*

Verse + participio
Indica el resultado involuntario de una acción y se expresa el agente.
*Más de medio millón de personas se vieron afectadas **por los desastres naturales**.*

Dar por + participio
Indica que una acción se considera finalizada, aunque no lo está completamente.
*A falta de un informe detallado, se da por demostrado **que los huracanes son los peligros mayores en el Caribe**.*

3. Completa con *verse envuelto, estar preparado, dar por finalizado* o *ser presenciado* en su forma adecuada.

    a. Después de una semana, se .... la búsqueda de los náufragos.

    b. Los habitantes de la zona no .... para tanta cantidad de lluvia.

    c. El estallido del volcán .... por cientos de vecinos.

    d. Los pescadores se .... en una tormenta tropical el martes pasado.

      / 4

4. Completa con *terminar de, empezar a, ponerse a, dejar de, llegar a* o *romper a* en la forma adecuada.

    a. Cuando tembló la tierra, todos los habitantes del poblado se .... gritar como locos.

    b. En el preciso momento en que se enteró de la muerte de su abuela, ... llorar desconsoladamente.

    c. Ya .... llegar la ayuda humanitaria para los afectados por el tsunami.

    d. Aunque la previsión meteorológica era de tiempo soleado, no .... llover con fuerza en toda la noche.

    e. En verano, ... producirse miles de incendios forestales debidos a los fuertes vientos abrasadores.

    f. Fue pasada ya la medianoche cuando los equipos de salvamento .... rescatar a los últimos supervivientes.

      / 6

PRETÉRITO PLUSCUAMPERFECTO DE SUBJUNTIVO

Se forma con el pretérito imperfecto del verbo *haber* + el participio del verbo.

	HABER	
(Yo)	hubiera	
(Tú, vos)	hubieras	
(Él, ella, usted)	hubiera	trabajado
(Nosotros, nosotras)	hubiéramos	comido
(Vosotros, vosotras)	hubierais	vivido
(Ellos, ellas, ustedes)	hubieran	

Usos:

1. Para formular un deseo que nunca se realizó y lamentarse por ello.
Ojalá hubieras estado conmigo cuando se produjo el terremoto.

2. Para expresar una condición no cumplida en el pasado.
Si hubieran llamado a los servicios de emergencias, se habrían salvado.

3. Para expresar una fuerte oposición de ideas en pasado, tanto referida a acciones irreales como poco probables.
Aunque hubieran avisado por la tele, no habría habido tiempo de tomar medidas al respecto.

5. Subraya la opción correcta.

    a. Ojalá pudiera/hubiera podido ir al Caribe estas vacaciones, me encantaría.

    b. Ojalá pudiera/hubiera podido ir al Caribe con vosotros, pero me era imposible.

    c. Ojalá no malgastáramos/hubiéramos malgastado tanta agua en casa. ¡Qué derroche!

    d. Ojalá no malgastáramos/hubiéramos malgastado tanta agua cuando se rompieron las tuberías.

    e. Ojalá lo había sabido/hubiera sabido antes de salir de viaje.

    f. Ojalá hubiera llovido/había llovido algo este año, la tierra no estaría tan reseca.

      / 6

6. Completa las frases con estos verbos en el pretérito pluscuamperfecto de subjuntivo.

informar – querer – invitar – imaginarse – recibir – ver

a. ¡Es alucinante! Quién .... que íbamos a sobrevivir a un tornado cuando estábamos de paseo por el bosque.

b. Ojalá nuestros amigos .... venir a este acto benéfico por los damnificados del tsunami.

c. Si Clara .... la previsión meteorológica en la tele, no se habría arriesgado a conducir por esa carretera.

d. Es increíble que no .... a los turistas del peligro de avalanchas cuando salieron a esquiar por la mañana.

e. Si las ONG no .... a los medios de comunicación a asistir al acto informativo, el impacto habría sido menor.

f. No creo que ese organismo .... el premio si no hubiera sido por el buen hacer de su dirigente.

      / 6

LA TIERRA ENFURECIDA

1. Observa las imágenes y completa los pies de fotos con estas palabras.

• avalanchas • caudal • desbordamiento • deshielo • destrucción • erupción • escombros • evacuación • imprudencias • incendios • inundaciones • lava • olas • ráfagas • sequías • terremoto • torrenciales

Las pertinaces .... y las .... de algunas personas provocan al año importantes destrucciones del paisaje español por los .... forestales.

La cantidad de nieve acumulada y el .... primaveral son los culpables de las .... en el Aconcagua.

Fuertes .... de viento crean .... de hasta 12 metros que irrumpen en la playa y el paseo marítimo de San Sebastián.

Las .... lluvias provocan la crecida del .... del río San Pedro en Tepes (Venezuela) y su .... Las .... en la zona cierran las carreteras.

La .... del volcán Tungurahua (Ecuador) provoca la .... de la población local ante la posible llegada de los ríos de .... hirviente a las poblaciones cercanas.

Un .... en 1985 produjo grandes daños en México con la .... de edificios que quedaron convertidos en .... Afortunadamente la reacción de la población fue ejemplar.

DESASTRES NATURALES

2. Relaciona.

RELACIONA

1. Preservar	**a.** ecológica.
2. Pérdidas	**b.** económicas.
3. Catástrofe o desastre	**c.** el medio ambiente.
4. Problema	**d.** invernadero.
5. Efecto	**e.** medioambiental.
6. Zonas	**f.** natural.
7. Agricultura	**g.** urbanas.
8. Residuos	**h.** tóxicos.

3. Completa escribiendo las combinaciones del ejercicio anterior.

1. Los afectados por el terremoto abandonaron el campo para irse a ...., donde esperaban ganarse mejor la vida.

2. Las .... son muy elevadas porque el huracán ha afectado a todos los cultivos.

3. Uno de los .... más extendidos es el .... ; como se nota en las temperaturas tan extremas que soportamos.

4. Todos nos debemos concienciar de que tenemos que .... o las consecuencias serán tremendas.

5. Uno de los peores .... que sufrimos en España cada verano son los incendios forestales que destruyen gran cantidad de bosques.

6. Algunas cooperativas de agricultores han optado por la ....

7. Está prohibido vertir .... a los ríos.

Léxico

4. Completa con las palabras adecuadas.

1. El barco petrolero chocó contra las rocas, vertió todo el petróleo y se produjo una tremenda ....
2. No había llovido en cinco meses, así que la .... trajo consigo restricciones de agua.
3. Uno de los grandes problemas son los ...., sobre todo en verano y cuando hace mucho viento.
4. Las fuertes lluvias causaron grandes .... en la parte baja de la ciudad.
5. La ausencia continuada de lluvias ocasionó la .... del suelo y no se pudo cultivar el suelo en varios años.
6. No sabía lo que ocurría: todo se movía. Entonces caí en la cuenta, se trataba de un ....
7. Un .... es un movimiento sísmico con el epicentro en el fondo del mar.
8. El viento era tan fuerte que se convirtió en .... en las costas del Caribe.

LA NATURALEZA ES ÚNICA

5. Completa con el sustantivo o el adjetivo.

Sustantivo
volcán
....
costa
....
lluvia

Adjetivo
volcánico
desértico
....
caluroso
....

Las cuatro estaciones
....
primavera
....

veraniego
invernal
....
otoñal

6. Completa con los adjetivos anteriores.

1. Las zonas .... del Mediterráneo son las que más han sufrido los fuertes vientos huracanados, incluyendo playas vírgenes.
2. Me encanta el tiempo ...., pasear por el campo es una delicia con los colores naranjas de los árboles.
3. Las Canarias son islas eminentemente ...., la tierra es negra y rocosa.
4. Galicia, en el noroeste de la península ibérica, es una de las zonas más .... de España, allí el paraguas es imprescindible.
5. A él lo que más le gusta es la estación ...., así que viviendo en el sur y yendo a la playa casi todo el año es feliz.
6. Debido a la sequía tan persistente, el impacto medioambiental fue tremendo; el paisaje era bastante seco y ....
7. Las temperaturas .... no son muy extremas, por ejemplo, en enero no bajan de 0 grados.

CUESTIÓN ECOLÓGICA

7. Completa los huecos con una palabra adecuada.

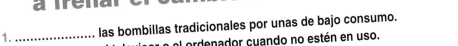

Diez actos cotidianos que ayudan a frenar el cambio climático

MINISTERIO DE MEDIO AMBIENTE Y MEDIO RURAL Y MARINO

1. .... las bombillas tradicionales por unas de bajo consumo.
2. .... el televisor o el ordenador cuando no estén en uso.
3. Recicla por lo menos la mitad de la .... que produces en casa.
4. Cuando vayas a la compra, usa .... reutilizables.
5. Regula el caudal del agua en la ....
6. Usa la lavadora y el .... solo cuando estén llenos.
7. .... de que los grifos están bien cerrados.
8. Tapa la .... mientras cocinas.
9. No te ...., dúchate.
10. No pongas en la .... alimentos calientes.

Fuente http://www.contractodirecto.net

PREPÁRATE: TU PUNTO DE VISTA

1. Lee y pon en orden, desde tu punto de vista, los 10 desastres naturales más graves. Explica tus motivos.

LOS 10 PROBLEMAS MEDIOAMBIENTALES MÁS GRAVES

- El cambio climático debido a la quema de combustible fósil (carbón, petróleo y gas natural), que expulsa a la atmósfera grandes cantidades de dióxido de carbono y que provoca el calentamiento planetario.
- El deterioro de la capa de ozono por la utilización de los CFC.
- La contaminación del aire por los grandes complejos industriales y los gases tóxicos que vierten a la atmósfera.
- La contaminación de los océanos por los vertidos de numerosas industrias y los detritus de las ciudades.
- La deforestación y tala indiscriminada de árboles.
- La pérdida de la biodiversidad con el tráfico de animales en peligro de extinción, y la destrucción de bosques tropicales.
- El deterioro de las tierras cultivables por la sobreexplotación debido a prácticas de agricultura intensiva, la lluvia ácida, la desertización y el uso de transgénicos.
- La escasez de agua potable unida a la contaminación de los acuíferos por la utilización indiscriminada de fertilizantes y abonos químicos.
- La superpoblación (nace un niño cada dos segundos).
- La gestión de los residuos. Cada año los países producen más y más residuos.

MINISTERIO
DE MEDIO AMBIENTE
Y MEDIO RURAL Y MARINO

Fuente: http://www.contactodirecto.net

PISTA 17
tuaulavirtual

2. Escucha y completa.

Actividad interactiva de audio descargable en tuaulavirtual

Fuente: http://www.elpais.com

EL PAÍS.COM

CIENCIA

1. Más de un .... de terremotos sacuden anualmente el planeta.
2. Los grandes desastres naturales llevan .... a seres humanos desde tiempos inmemoriales.
3. Los desbordamientos de los .... se han cobrado nueve millones de personas.
4. Sin embargo, las muertes se .... en un 95 % de los casos en los países del Tercer Mundo.
5. A largo plazo, la perspectiva de este hecho .... cobra un giro inesperado cuando se investigan las razones.
6. Si observas las zonas que son volcánicamente más activas, descubrirás que son las que poseen el suelo más ....
7. Las cenizas y lavas que los volcanes escupen a la .... están repletas de nutrientes que regeneran los suelos.
8. A la larga, el ser humano sale ....

3. Lee este extracto de un artículo. ¿Estás de acuerdo con su opinión?

Leslie Newson es autora de documentales para la televisión de la BBC y varios libros, entre ellos, un atlas sobre desastres naturales que vierte gotas de optimismo entre tanto dramatismo y muerte. Los terremotos «forman parte de la presión que levanta montañas, cuya erosión arrastra nutrientes para fertilizar los valles». Las inundaciones tienen también este efecto regenerador de suelos, al rellenar las llanuras de inundación de los ríos. Además, con cada catástrofe, los medios de comunicación proyectan un impacto emocional positivo, algo comprobado en Haití. «Gracias a la televisión, comprendes que ellos son como nosotros. Puedes ver sus esperanzas, su tristeza y su miedo. Cuando los medios de comunicación nos traen esos desastres, logran que nuestra humanidad traspase las fronteras locales».

Expresión **oral**

4. Y a ti, ¿qué te parece todo esto? ¿Crees que los desastres naturales sirven para regenerar los suelos? Responde a estas cuestiones.

¿No hay mal que por bien no venga?

• ¿Qué le está pasando al clima, un pronóstico alarmante?

• Clima extremo: ¿qué está ocurriendo y que está por venir en el mundo?

• Durante estos últimos años el mundo ha empezado a sentir los implacables efectos del cambio climático. Lo que se pronosticó que ocurriría en 20 años estaría llegando más pronto de lo que muchos científicos vaticinaron. Tormentas de nieve extremas en el hemisferio norte o frío gélido, mientras que en varios países del hemisferio sur se registraba un calor sofocante. En Argentina, 41 grados, una máxima histórica. La ola de calor ha alcanzado, en menor escala, a la costa peruana, pero los niveles de radiación ultravioleta aquí están más elevados que nunca. ¿Son los claros indicios del deterioro del planeta, las irremediables consecuencias del calentamiento global? ¿Cambio climático o mayor acceso a la información y a la inmediatez de las comunicaciones?

• Existen dos corrientes bastante marcadas en la comunidad científica frente a los cambios del clima, una más cautelosa que la otra: el ala radical habla de consecuencias realmente apocalípticas como resultado del calentamiento global. Cada vez vamos a ver lluvias más fuertes, heladas más intensas, sequías más prolongadas, tormentas más fuertes.

INFÓRMATE DE LA NOTICIA

1. Lee y conoce la noticia.

HOY.es | versión para móvil | widgets

HOYes.tv | HOYes.tv | ed. impresa | Regístrate | Miércoles, 22 octubre 2014

Hemeroteca | Buscar   hoy   IR

Portada | Regional | Deportes | **Más Actualidad** | Multimedia | Ocio | Participación | Servicios | Clasificados | Coches | Empleo | Pisos

Estás en: hoy.es > Noticias Más Actualidad > Noticias Nacional

NACIONAL

Una nevada colapsa Madrid y cierra el aeropuerto de Barajas

El aeropuerto no operó durante más de cinco horas por culpa de la nieve y la baja visibilidad. La ministra admite «fallos» de las administraciones.

Unos pequeños copos avisaron de la que se avecinaba sobre las 8:00 horas. Poco a poco, lo que empezó como un hecho curioso se convirtió en un verdadero problema. La nevada comenzó a tomar intensidad y a complicar la circulación de miles de conductores. El caos se apoderó a media mañana de la ciudad, que se colapsó ante la falta de medios para retirar la nieve. Y la gota que colmó el vaso fue el cierre del aeropuerto durante cinco horas.

La Cibeles, Madrid (España)

MEJORA UNA CARTA DE PROTESTA

2. Lee la carta abierta que un ciudadano escribe a la señora ministra y haz las actividades propuestas.

Aeropuerto Adolfo Suárez, Madrid-Barajas

Querida Sra. ministra:

Soy un ciudadano madrileño muy *cabreado* por la gran *nevadita* del viernes que puso patas arriba la ciudad, ocasionando numerosos y pequeños accidentes de tráfico y, lo que es peor, el cierre del aeropuerto de Madrid-Barajas durante cinco horas. La nevada dejó en tierra a miles de personas, que tuvieron que ser recolocadas durante los vuelos vespertinos. En medio de esta locura, las tres administraciones con competencias en infraestructuras (Ayuntamiento, Comunidad de Madrid y Ministerio de Fomento) eludieron su responsabilidad y acusaron a los otros de imprevisión ante las contrariedades del cielo.

El propósito de mi carta es exigir la dimisión del director del aeropuerto Madrid-Barajas y *pedirle que se vaya a su casa*. Es más, le sugiero a usted, señora ministra, que lo cese de su cargo de inmediato. Este señor, junto con los responsables de la Dirección General de Aviación Civil, los máximos gestores del aeropuerto, han convertido el cuarto aeródromo de Europa y el décimo del mundo en tráfico de pasajeros en la materialización del paradigma ideal del caos, de la *chapuza ibérica*. No estaría nada mal que relegara de sus cargos a estos *sinvergüenzas* que maltratan y desprecian a miles de pasajeros, impotentes ante su inoperancia e incompetencia. Pero ellos *tienen la cara dura* de salir en televisión hablando de retrasos por motivos de seguridad, de escasez de medios materiales y humanos, etc. *Claro, todo muy creíble.*

Por tanto, mi reflexión es la siguiente: ¿Habríamos soportado todo este caos si hubiéramos estado preparados para esta nevada? Si las condiciones meteorológicas adversas son causa de fuerza mayor, ¿cómo operan los aeropuertos del norte y centro de Europa que soportan nieve durante casi todo el invierno? ¿Qué harían con medio metro de nieve en el aeropuerto JFK de Nueva York? ¿A qué *idiotas* se les ocurre actuar como lo han hecho?

Espero me contestes a la mayor brevedad posible y además exijo una compensación económica por todos los gastos extra que estos retrasos me han ocasionado.

Hasta pronto.

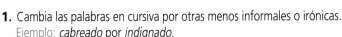

1. Cambia las palabras en cursiva por otras menos informales o irónicas.
   Ejemplo: *cabreado* por *indignado*.
2. En la carta aparecen muchas preguntas retóricas. Subráyalas. ¿Realmente espera el ciudadano que la ministra conteste estas preguntas?
3. ¿Cuántas palabras o expresiones peyorativas (desfavorables o despectivas) ves en el texto? Enuméralas.
4. Hay una oración con un pretérito imperfecto de subjuntivo. Subráyala y explica su significado.
5. Subraya en el texto las formas que encuentres en donde se sugiera o se proponga algo.
6. ¿Qué exige el ciudadano a la ministra al final de la carta?
7. En parejas, contad lo sucedido con vuestras propias palabras. ¿Ha sucedido alguna vez algo parecido a esto en vuestro país?

REDACTA TU CORREO DE PROTESTA

3. Piensa en un acontecimiento relacionado con el medio ambiente que se podía haber evitado si se hubiera estado alertado o reaccionado de forma correcta y escribe un correo a la persona responsable.

Dirige el correo electrónico a una persona determinada y escribe 3 párrafos y una despedida en tono formal. Utiliza en algún momento lenguaje irónico, pero no ofensivo, preguntas retóricas (si es posible alguna oración de pretérito imperfecto de subjuntivo) y exige responsabilidad/compensación.

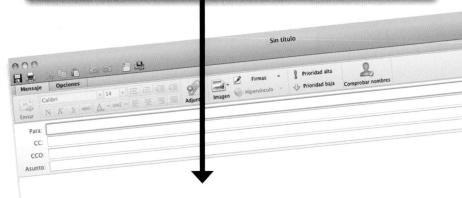

PARA AYUDARTE

Formas de sugerir y proponer:
- ¿Puedo hacerle/te una sugerencia?
- ¿Le/Te parece (una buena idea) que...?

- ¿No querrá(s)/querría(s)..., verdad?

- ¿Y si + *imperfecto de subjuntivo*?
- Le/Te propongo que...
- Habría que + *infinitivo*
- No estaría nada mal que...
- Una/Otra posibilidad es/sería...
- Supongo que no querrá(s)..., ¿verdad?

PARA AYUDARTE

Expresar ironía:
- La gran nevadita (uso del diminutivo para referirse irónicamente a lo contrario).
- Claro, todo muy creíble.

Preguntas retóricas:
- ¿Habríamos soportado todo este caos si hubiéramos estado preparados para esta nevada?
- ¿A qué idiotas se les ocurre actuar como lo han hecho?
- ¿Y cuál será la próxima?

Exigir responsabilidad/compensación:
- Le pido a usted, señora ministra, que cese al director de su cargo de inmediato.
- Exijo una compensación económica por todos los gastos extra que estos retrasos me han ocasionado.

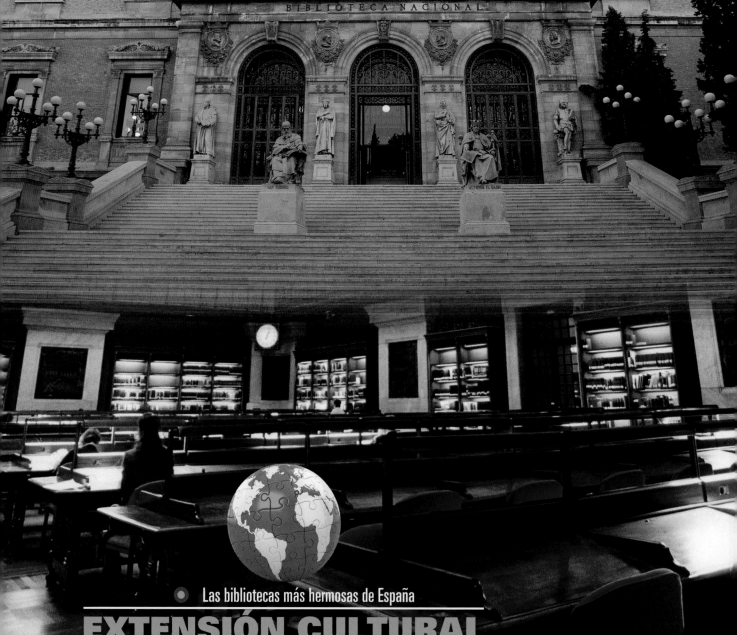

11 EDUCACIÓN Y CIUDADANÍA

BIBLIOTECA NACIONAL

Las bibliotecas más hermosas de España

EXTENSIÓN CULTURAL

Amplía tus conocimientos en www.edelsa.es >

tuaulavirtual
amplía tus conocimientos on-line

- ▶ rememorar recuerdos
- ▶ lamentarse por lo ocurrido en el pasado
- ▶ debatir sobre las formas de enseñanza-aprendizaje

- ▶ oraciones condicionales de pasado
- ▶ el relativo *cuyo*
- ▶ construcciones de participio absoluto

- ▶ la educación
- ▶ títulos académicos
- ▶ actividades de aprendizaje

- ▶ *Vivir para contarla*, de García Márquez
- ▶ el primer día del *cole*
- ▶ los sistemas educativos

¿QUÉ RECUERDOS TIENES DE TU COLEGIO?

Lee este extracto. ¿Qué intenta enseñar el profesor? ¿Qué opinas de esta lección?

> – Señor Pérez, salga usted a la pizarra y escriba: «Los eventos consuetudinarios que acontecen en la rúa».
> El alumno escribe lo que se le dicta.
> – Vaya usted poniendo eso en lenguaje poético.
> El alumno, después de meditar, escribe: «Lo que pasa en la calle».
> – No está mal... Cada día, señores, la literatura es más escrita y menos hablada. La consecuencia es que cada día se escribe peor, en una prosa fría, sin gracia.
>
> A. Machado, «Juan de Mairena»

LAS NECESIDADES DE UNA BUENA FORMACIÓN ACADÉMICA

Responde a estas cuestiones.

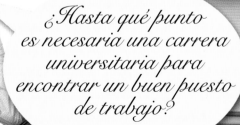

¿Cuáles son las ventajas y desventajas de estudiar una carrera?

¿Hasta qué punto es necesaria una carrera universitaria para encontrar un buen puesto de trabajo?

Comprensión lectora

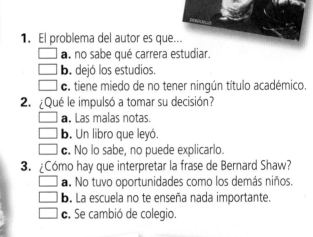

DOS MOMENTOS EN LA EDUCACIÓN DE GABO

1. Lee este fragmento de *Vivir para contarla*, de Gabriel García Márquez, y marca las respuestas correctas.

Había desertado de la universidad el año anterior, con la ilusión temeraria de vivir del periodismo y la literatura sin necesidad de aprenderlos, animado por una frase que creo haber leído en Bernard Shaw: «Desde muy niño tuve que interrumpir mi educación para ir a la escuela». No fui capaz de discutirlo con nadie, porque sentía, sin poder explicarlo, que mis razones solo podían ser válidas para mí mismo.

Tratar de convencer a mis padres de semejante locura, cuando habían fundado en mí tantas esperanzas y habían gastado tantos dineros que no tenían, era tiempo perdido. Sobre todo a mi padre, que me habría perdonado lo que fuera, menos que no colgara en la pared cualquier diploma académico que él no pudo tener.

2. Lee ahora este otro fragmento de la misma novela y marca las opciones correctas.

En Cataca habían abierto por esos años la escuela montessoriana, cuyas maestras estimulaban los cinco sentidos mediante ejercicios prácticos y enseñaban a cantar. Con el talento y la belleza de la directora Rosa Elena Fergusson, estudiar era algo tan maravilloso como jugar a estar vivos. Aprendí a apreciar el olfato, cuyo poder de evocaciones nostálgicas es arrasador. El paladar, que afiné hasta el punto de que he probado bebidas que saben a ventana, panes viejos que saben a baúl, infusiones que saben a misa. En teoría es difícil entender estos placeres subjetivos, pero quienes los hayan vivido los comprenderán de inmediato.

No creo que haya método mejor que el montessoriano para sensibilizar a los niños en las bellezas del mundo y para despertarles la curiosidad por los secretos de la vida. Se le ha reprochado que fomenta el sentido de independencia y el individualismo —y tal vez en mi caso fuera cierto—. En cambio, nunca aprendí a dividir o a sacar raíz cuadrada, ni a manejar ideas abstractas.

[…] Me costó mucho aprender a leer. No me parecía lógico que la letra *m* se llamara *eme*, y sin embargo con la vocal siguiente no se dijera *emea*, sino *ma*.

Me era imposible leer así. Por fin, cuando llegué al Montessori, la maestra no me enseñó los nombres, sino los sonidos de las consonantes. Así pude leer el primer libro que encontré en un arcón polvoriento del depósito de la casa. Estaba descosido e incompleto, pero me absorbió de un modo tan intenso que el novio de Sara soltó al pasar una premonición aterradora: «¡Carajo!, este niño va a ser escritor».

1. El problema del autor es que...
- [ ] **a.** no sabe qué carrera estudiar.
- [ ] **b.** dejó los estudios.
- [ ] **c.** tiene miedo de no tener ningún título académico.

2. ¿Qué le impulsó a tomar su decisión?
- [ ] **a.** Las malas notas.
- [ ] **b.** Un libro que leyó.
- [ ] **c.** No lo sabe, no puede explicarlo.

3. ¿Cómo hay que interpretar la frase de Bernard Shaw?
- [ ] **a.** No tuvo oportunidades como los demás niños.
- [ ] **b.** La escuela no te enseña nada importante.
- [ ] **c.** Se cambió de colegio.

1. Los ejemplos de sabores que menciona el autor pretenden demostrar...
- [ ] **a.** las ideas tan extrañas que enseñaban en esa escuela.
- [ ] **b.** los sabores típicos de Hispanoamérica.
- [ ] **c.** cuánto estimulaban la imaginación en esa escuela.

2. El fomento de la independencia y el individualismo se presenta como...
- [ ] **a.** algo que no gusta a algunas personas.
- [ ] **b.** el mejor aspecto de la escuela montessoriana.
- [ ] **c.** un proceso que solo afectó al autor.

3. ¿Por qué le costaba aprender a leer?
- [ ] **a.** Porque no sabía los nombres de las letras.
- [ ] **b.** Era disléxico y confundía el orden de las letras.
- [ ] **c.** No comprendía la diferencia entre los nombres y los sonidos de las letras.

4. ¿Por qué dijo el novio de Sara que iba a ser escritor?
- [ ] **a.** Por leer un libro con tal concentración.
- [ ] **b.** Porque leía un libro a pesar de estar descosido e incompleto.
- [ ] **c.** Por la forma tan rara que tenía de pronunciar las letras.

APRENDE VOCABULARIO

3. Completa las frases con las siguientes palabras.

> Desertar – temeraria – animado – válido – semejante – Fundar esperanzas – colgar –
> talento – apreciar – evocaciones – arrasador

1. Decimos que una cosa es .... cuando es demasiado arriesgada o peligrosa.
2. Si algo es ...., es que no se puede resistir, que tiene mucha fuerza.
3. .... es lo mismo que «abandonar», especialmente cuando un soldado deja su puesto sin permiso.
4. Decir, por ejemplo, «................................. cosa» es como decir «una cosa así» o «una cosa parecida».
5. Algo .... es algo aceptable, adecuado, que sirve.
6. Si estás «.................................» a hacer algo es que te sientes con fuerzas y ganas de hacerlo.
7. Las .... son recuerdos, te pueden venir a la cabeza porque ves, oyes, hueles algo que te recuerda a esas cosas.
8. Tener .... para algo es saber hacerlo bien, con maestría o facilidad. Se considera innato.
9. «.................................» es confiar mucho en algo o en alguien, esperar grandes cosas, tener mucha fe.
10. Normalmente hay que .... los cuadros de la pared para ....los mejor, verlos y disfrutar de ellos.

FÍJATE EN LA GRAMÁTICA

4. Relaciona.

RELACIONA

1. Si García Márquez no hubiera dejado los estudios...
2. Si no hubiera ido al colegio Montessori...
3. Si Bernard Shaw no hubiera ido al colegio...
4. Si hubiera ido a un colegio normal...

a. habría aprendido más (al menos eso decía).
b. quizá no se habría hecho escritor.
c. habría aprendido a hacer raíces cuadradas, por ejemplo.
d. le habría costado mucho más aprender a leer.

5. Lee esta frase. Luego, subraya las opciones correctas.

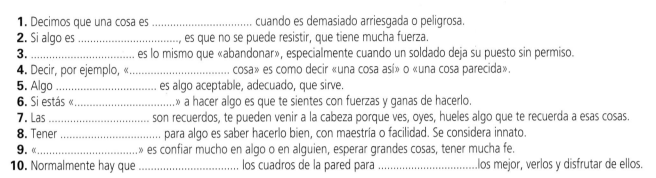

> *«Si no hubiéramos ido a clase juntos,*
> *quizás no nos habríamos conocido».*

En ella, describimos/no estamos describiendo lo que ocurrió, sino que decimos/especulamos con lo
que ha pasado/podría haber pasado.

OPINA:
¿QUÉ HABRÍA OCURRIDO SI...?

6. Habla con tu compañero y especula sobre qué habría ocurrido si el pasado hubiera sido diferente. Elige tres temas (de tu vida, de tu ciudad o de tu país) y especula.

Ejemplo: Si no hubiera empezado a estudiar español...

El premio nobel Gabriel García Márquez

Comprende y debate

Comprensión auditiva

El primer día de *cole*

▶ PREPÁRATE — ¿RECUERDAS TU PRIMER DÍA DE COLE?

1. Habla con tu compañero y encuentra dos cosas en común y dos diferentes.

¿Cómo era tu primer colegio? ¿Qué recuerdas de él?
¿Cómo fue tu primer día de clase?

2. Fernando nos va a hablar de su primer colegio. Observa las fotos, ¿cómo te imaginas su primera escuela?

PARA AYUDARTE

- Colegio laico/religioso
- Enseñanza privada/pública
- Clases multiétnicas/monoculturales

▶ COMPRENDE — LOS RECUERDOS DE FERNANDO

PISTA 🎧 18 — *Actividad interactiva de audio descargable en* tuaulavirtual

tuaulavirtual

3. Escucha y responde a las preguntas.

1. ¿En qué ciudad fue Fernando al colegio por primera vez?
2. ¿Qué le hizo llorar? Nombra dos motivos.
3. ¿De qué modo le ayudó la niña colombiana?
4. ¿Cuál fue la «revelación»?
5. ¿Por qué cree que le gustaban el francés y el latín?

4. Observa las palabras marcadas en estos extractos de la conversación e indica cuál es su significado.

1. «Yo iba confiado y contento» significa...
   - ☐ **a.** con ilusión. ☐ **b.** sin miedo. ☐ **c.** engañado.

2. «Para colmo de males una monja me pegó» indica que a continuación se mencionará...
   - ☐ **a.** otra cosa mala. ☐ **b.** algo que no ocurrió de verdad. ☐ **c.** algo contradictorio.

3. Eso «bastó para que empezara a llorar más fuerte» equivale a...
   - ☐ **a.** fue necesario. ☐ **b.** fue inútil. ☐ **c.** fue suficiente.

4. «Estuve como unos cinco días totalmente desorientado y confuso» significa...
   - ☐ **a.** que tiene miedo. ☐ **b.** que está equivocado. ☐ **c.** que no sabe lo que pasa.

5. «Me explicó de forma concisa y clara» significa...
   - ☐ **a.** brevemente. ☐ **b.** claramente. ☐ **c.** seca, cortante.

6. «Los tres garabatos [...] formaban la palabra "cat"» son...
   - ☐ **a.** letras. ☐ **b.** dibujos sin sentido. ☐ **c.** palabras.

7. «Ya estaba chapurreando en inglés» significa...
   - ☐ **a.** gritando. ☐ **b.** imitando. ☐ **c.** hablando mal.

8. «¿Y cuál era tu asignatura preferida?» es...
   - ☐ **a.** materia que se estudia. ☐ **b.** tipo de lengua. ☐ **c.** escuela.

5. Completa las frases de la entrevista.

a. Si hubiera sabido que estaría solo en la clase, ...

b. Aunque no me hubiera pegado la monja, ...

c. Si ...., creo que me habría vuelto loco.

PRETÉRITO PLUSCUAMPERFECTO DE SUBJUNTIVO DEL VERBO *SABER*	
(yo) hubiera sabido (tú, vos) hubieras sabido (él, ella, usted) hubiera sabido (nosotros, nosotras) hubiéramos sabido (vosotros, vosotras) hubierais sabido (ellos, ellas, ustedes) hubieran sabido	*Si ... hubiera sabido, ... habría ...* Así hablamos de hipótesis en el pasado, imaginando qué habría ocurrido si las cosas hubieran sido diferentes. Se entiende que lo que pasó en realidad fue lo contrario: «Si yo hubiera sabido...» quiere decir que yo no lo sabía.

▶ **DEBATE**   # ¿SI NO HUBIERAS ACTUADO ASÍ?

6. Piensa en una anécdota real, en algo que te salió mal. Después, cuéntasela a tu compañero y entre los dos pensad cómo se podría haber evitado el problema si algo hubiera cambiado.

Ejemplo:
- Se me paró el reloj y no sabía que era tan tarde...
- Si no se me hubiera parado el reloj, habría sabido que era tarde.

Escucha la anécdota de tu compañero y comentadla también entre los dos.

11

Aprende y practica ▶ Las oraciones condicionales de pasado

PRETÉRITO PLUSCUAMPERFECTO DE SUBJUNTIVO Y CONDICIONAL COMPUESTO

Se forman con el imperfecto de subjuntivo (más frecuentemente con la forma en *-ra*) o con el condicional del verbo *haber* y el participio.

Evalúate

Total _____ / 44

1. Forma el pluscuamperfecto de subjuntivo y el condicional compuesto de estos verbos en la persona que se indica.

a. Ir (nosotros) ....
b. Volver (ellos) ....
c. Salir (tú) ....
d. Participar (yo) ....
e. Ser (vosotros) ....

/ 10

ORACIONES CONDICIONALES DE PASADO

1. Se forma con **si** + pluscuamperfecto de subjuntivo, condicional compuesto.
Si lo hubiera sabido, no habría estado tan confiado.

2. Es una oración condicional irreal de pasado o «imposible», así llamada porque describe una hipótesis sobre el pasado, no un hecho real. Con estas oraciones condicionales de pasado, a menudo expresamos un lamento o arrepentimiento por lo que ocurrió y pensamos en las consecuencias si los hechos hubieran sido diferentes.

3. También se puede expresar la consecuencia con el pluscuamperfecto de subjuntivo (igual que en la oración subordinada).
Si lo hubiera sabido, no hubiera estado tan confiado.

2. Escribe los verbos en el tiempo adecuado.

a. ¿No te (gustar) .... estudiar Medicina si (ir, tú) .... a la universidad cuando eras joven?
b. Si (querer, yo) .... ser deportista profesional, seguramente (poder, yo) .... hacerlo, pero opté por hacerme abogada.
c. ¡Mira lo que has hecho! Si (tener, tú) .... más cuidado, no (romper, tú) .... el reloj.
d. Si (pasar) .... por Valladolid, (ir, nosotros) .... a visitarte, pero es que fuimos por Palencia.
e. Tengo la nevera vacía. Si (saber) .... que venías, (preparar, yo) .... algo de comer, pero como no me has avisado…
f. No (aprender, nosotros) .... tanto español si no (asistir) .... a este curso.

/ 12

3. Transforma estas frases en condicionales, como en el ejemplo.

No aprobé porque las preguntas eran muy difíciles. *Si las preguntas no hubieran sido tan difíciles, habría aprobado.*

a. Solo me he matriculado en este máster porque tú me lo aconsejaste.
....
b. Gracias a que el profesor era tan bueno, hemos aprendido muchísimo.
....
c. Menos mal que te dejé los apuntes. Has podido preparar el examen con ellos.
....
d. No os conté lo del accidente para que no os preocuparais.
....
e. Gracias a que me concedieron una beca, he podido estudiar una carrera.
....
f. Entonces, ¿era necesario entregar el trabajo para aprobar? ¡Pues menos mal que me acordé!
....

/ 6

EL RELATIVO *CUYO*

Cuyo, cuya, cuyos, cuyas es un relativo que introduce algo poseído por el referente. Siempre va seguido de un sustantivo que denota lo poseído y concuerda con él en género y número.

... habían abierto por esos años la escuela montessoriana, cuyas maestras estimulaban los cinco sentidos...
Aprendí a apreciar el olfato, cuyo poder de evocaciones nostálgicas es arrasador.

4. Une las oraciones usando los relativos *cuyo/a/os/as* o *que*.

a. El profesor de Lengua se va a jubilar. Su hijo está ahora en el tercer curso.

b. El perro parece peligroso. Conozco a su dueño.

c. Las notas de algunos alumnos son de sobresaliente. Estos alumnos tienen derecho a matrícula gratis el año que viene.

d. El grupo va a ir de viaje a España. Su profesora es colombiana.

/ 4

PARTICIPIO ABSOLUTO

1. Es una construcción equivalente a la oración de relativo. No hay verbo y se forma con un participio.
El estudiante, que estaba agotado por un largo examen, se fue a su casa = El estudiante, agotado por un largo examen, se fue a su casa.

2. También se utiliza en sustitución de la oración con **cuando**.
Cuando terminó la clase, los alumnos salieron en tropel = Terminada la clase, los alumnos salieron en tropel.

5. Une las dos oraciones usando un participio.

a. Los padres vinieron a ver al profesor. Estaban preocupados por las malas notas de su hijo.

b. Silvia decidió matricularse en el doctorado. Le animaban por sus buenos resultados en la licenciatura.

c. Eduardo terminó sus estudios. Eduardo entonces empezó a buscar trabajo.

d. Primero resolvió sus problemas, después intentó ayudar a sus compañeros.

e. Julia estaba aburrida de tanto estudiar, así que salió a dar una vuelta.

/ 5

6. Reescribe la frase de García Márquez.

«Había desertado de la universidad, animado por una frase de Bernard Shaw».

....
....

/ 1

RECUERDA Y AMPLÍA: *IR* + GERUNDIO

Indica que la acción se realiza poco a poco, gradualmente, o que la acción ha comenzado, pero de momento no se completa.
Vaya usted poniendo eso en lenguaje poético.

7. Transforma las frases para que incluyan construcciones de *ir* + gerundio.

a. - ¿Cuántos invitados vienen a comer?
- No estoy seguro. Empezamos a preparar la comida que tenemos y ya veremos si hay suficiente.

b. Ramírez, empiece a mezclar las pinturas, que enseguida viene el pintor.

c. Los precios de la vivienda bajaron bruscamente y ahora suben poco a poco.

d. Estamos practicando todos los días y poco a poco aprenderemos todos esos tiempos verbales.

/ 6

INSCRIBIRSE EN UN CURSO

1. Lee y completa con estas palabras.

> • apruebas • becas • clases • cursos • matricularte • horario • media
> • nivel • grupos • oral • solicitar • suspendes • Tendrás

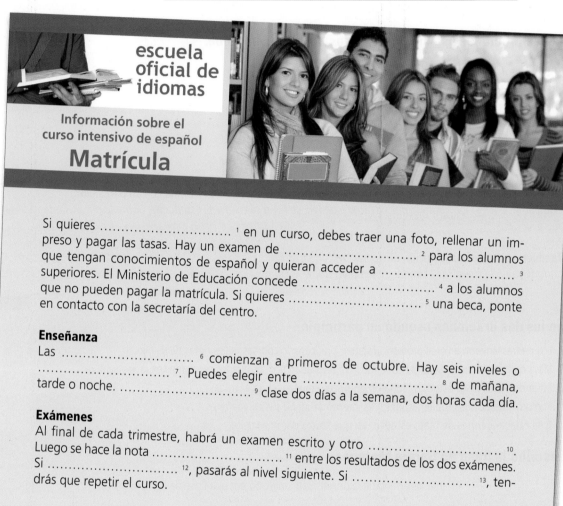

escuela oficial de idiomas

Información sobre el curso intensivo de español
Matrícula

Si quieres .... [1] en un curso, debes traer una foto, rellenar un impreso y pagar las tasas. Hay un examen de .... [2] para los alumnos que tengan conocimientos de español y quieran acceder a .... [3] superiores. El Ministerio de Educación concede .... [4] a los alumnos que no pueden pagar la matrícula. Si quieres .... [5] una beca, ponte en contacto con la secretaría del centro.

Enseñanza

Las .... [6] comienzan a primeros de octubre. Hay seis niveles o .... [7]. Puedes elegir entre .... [8] de mañana, tarde o noche. .... [9] clase dos días a la semana, dos horas cada día.

Exámenes

Al final de cada trimestre, habrá un examen escrito y otro .... [10]. Luego se hace la nota .... [11] entre los resultados de los dos exámenes. Si .... [12], pasarás al nivel siguiente. Si .... [13], tendrás que repetir el curso.

2. Completa cada frase con una palabra relacionada con la que se da al final de la frase.

Ejemplo: A los alumnos que superen el examen se les dará una ...certificación.... (certificar)

Los títulos universitarios
1. Los estudios .... o «carreras» conducen a diversos títulos o certificaciones. (universidad)
2. Tradicionalmente, tras cuatro o cinco años de estudios, se obtenía una .... (licencia)
3. Ahora se prefiere el término «grado» y se suelen emplear tres o cuatro años en obtenerlo. Los licenciados o .... pueden continuar sus estudios haciendo algún máster. (grado)
4. De ese modo pueden .... más en un área específica. (especial)
5. Si quieren hacer el doctorado, tienen que hacer cursos y presentar una tesis .... (doctor)

ACTIVIDADES DE APRENDIZAJE

3. Subraya la palabra que no pertenece al mismo grupo.

1. de perfeccionamiento, a distancia, de iniciación, intensivo, internado
2. catedrático, alumno, profesor, maestro, docente
3. trimestral, nocturno, diario, semanal, mensual
4. graduado, bachiller, licenciado, doctor, estudiante

4. Relaciona. Luego, escoge cuatro combinaciones y escribe una frase con cada una.

RELACIONA

1. Conceder	**a.** a un examen.
2. Corregir	**b.** buenas notas.
3. Plantear	**c.** clases.
4. Sacar	**d.** el curso.
5. Repetir	**e.** exámenes.
6. Dar	**f.** prácticas.
7. Hacer	**g.** una beca.
8. Presentarse	**h.** una duda.

EL PRIMER DÍA DE CLASE

5. Relaciona. Luego, completa las frases.

RELACIONA

1. Asignatura	**a.** continua.
2. Jefe	**b.** de estudios.
3. Graduado	**c.** en blanco.
4. Formación	**d.** escolar.
5. Quedarse	**e.** oral.
6. Examen	**f.** pendiente.

1. El curso me ha ido fatal. Me han quedado tres ....
2. Me da pánico el .... ¿Y si me ....
y no me acuerdo de nada?
3. Para cambiarte de curso debes hablar con el ....
4. En la empresa tenemos cursos de ....
5. El .... hace prácticamente falta para cualquier
trabajo.

6. Lee y completa con estas palabras.

- comentarla
- corregiré
- debates
- deberes
- explicación
- final
- memoria
- parcial
- presentaros
- proyecto
- nota
- resumir
- temario

Hola. Buenos días. Soy vuestra profesora de Literatura y voy a explicar cómo van a ser las clases. Si hay .... [1] algo que no entendáis, por favor, levantad la mano y preguntad lo que queráis. El .... [2] y os está dividido en doce unidades. Al empezar cada una, daré una breve .... [4] mandaré lecturas y .... [3] para casa. Los días siguientes tendremos .... y discusiones en clase sobre las lecturas, y, para terminar, os mandaré un trabajo que consistirá en .... [5] la lectura, analizarla y .... [6]. Me entregaréis los trabajos y yo los .... [7] y os los devolveré con mis comentarios. Los trabajos contarán para la .... [8] final del curso, naturalmente. En general, prefiero que reflexionéis sobre los textos en lugar de aprender de .... [9] nombres o datos. Tendremos un examen .... [10] cada mes, y un examen .... [11] Si sacáis buenas notas (o sea, un seis sobre diez, o más) en todos los controles, no tendréis que .... [12] al examen final. De todos modos, siempre podéis presentaros voluntariamente o presentar un .... [13] si queréis subir la nota.

Expresión
oral

PREPÁRATE

1. Responde a las preguntas y describe un curso.

- ¿Cuál es el último curso o cursillo que has hecho?
(académico, escolar, de formación, práctico, etc.)
- ¿Te gustó, te sentiste satisfecho? ¿Qué cosas podrían haber sido mejores?

- PRECIO
- DURACIÓN, LUGAR, HORARIO
- NÚMERO DE ALUMNOS POR GRUPO
- PROFESOR(ES)
- ACTIVIDADES Y TAREAS
- EVALUACIÓN, DIPLOMAS, CERTIFICADOS
- UTILIDAD EN TU VIDA

2. Lee los textos que describen las mejores condiciones para la enseñanza en el futuro.
¿Con qué ideas estás de acuerdo? Responde luego a las preguntas.

El efecto de los ruidos:
- Los mejores resultados académicos se obtienen cuando los sujetos no están ni demasiado relajados ni demasiado tensos. El silencio absoluto es demasiado relajante, pero los ruidos constantes, como el zumbido del aire acondicionado, favorecen ese estado de «alerta».
- No está demostrado que la música clásica favorezca la actividad mental («efecto Mozart»), pero una música agradable despierta la imaginación y la creatividad. También te hace sentir mejor, lo cual aumenta el rendimiento académico.
- Sin embargo, la música distrae a la hora de hacer operaciones aritméticas mentalmente. Si la música tiene letra, también distrae en tareas lingüísticas (comprensión lectora).

Los videojuegos y nuevas tecnologías:
Algunos expertos creen que el futuro de las aulas pasa por los videojuegos. En cualquier caso, las pantallas dejarán fuera de lugar a los libros.
El aula física perderá importancia frente al aula virtual. Todos los alumnos estarán conectados con el profesor y entre sí. Habrá pocas tareas para hacer en grupo y más tareas para que las haga cada alumno por su cuenta.

¿Te gustaría tener música en la clase?
¿Qué nivel de ruido hay normalmente en tu clase? ¿Te molesta?
¿Qué ruidos te molestan más para concentrarte?
¿Te sobran los libros? ¿Preferirías usar siempre un ordenador o tableta?
¿Cuántas horas te gustaría asistir a clase a la semana y cuántas horas te gustaría trabajar por tu cuenta en casa? ¿Por qué?

TERTULIA

Expresión **oral**

3. Debate sobre tu modelo educativo ideal. Lee esta descripción del método Montessori y haz una lista de ventajas y otra de los inconvenientes.

¡El saber no ocupa lugar!

El método Montessori se caracteriza por proveer un ambiente preparado: ordenado, estético, simple, real, donde cada elemento tiene su razón de ser en el desarrollo de los niños.

El adulto es un observador y un guía; ayuda y estimula al niño en todos sus esfuerzos.

El ambiente promueve la independencia del niño en la exploración y el proceso de aprendizaje.

El currículo:
- Del nacimiento a los 3 años: desarrollo del habla, el movimiento coordinado y la independencia, que le dan confianza al niño, le permiten descubrir su propio potencial.
- De los 3 a los 6 años: Vida práctica, Sensorial, Lenguaje, Matemáticas.
- De los 6 a los 12: Grandes lecciones (estudios específicos), Desarrollo del Universo y la Tierra (Física, Química, etc.), Desarrollo de la Vida (Biología, etc.), Desarrollo de los Seres Humanos (Historia, etc.), Comunicación por Signos (Lengua), Historia de los Números (Matemáticas, etc.)

García Márquez decía que aprendió a usar los sentidos, pero no a hacer una raíz cuadrada. ¿Te parece esto adecuado?

4. Ordena de mayor a menor importancia estos objetivos educativos en el colegio.

☐ APRENDER UN OFICIO, UNA ACTIVIDAD PARA GANARSE LA VIDA
☐ ADQUIRIR UNA CULTURA PARA SER RESPETABLE
☐ INTEGRARSE EN LA SOCIEDAD
☐ DESARROLLAR LA MENTE Y LA INTELIGENCIA, LA CAPACIDAD DE PENSAR
☐ HACER AMIGOS, SOCIALIZAR, PASARLO BIEN, JUGAR
☐ APRENDER A COMPORTARSE BIEN Y SER DISCIPLINADO
☐ PREPARARSE PARA ESTUDIAR UNA CARRERA UNIVERSITARIA
☐ DESARROLLARSE COMO PERSONA, ADQUIRIR VALORES

5. Discute sobre la importancia de cada objetivo.

Ejemplo: Aprender cosas es importante, pero también lo es hacer amigos y jugar. Los valores no los adquieres solo en el colegio. Lo que te enseñan en casa, hasta en la tele, también te influye.

UN RELATO CURIOSO

1. Lee este relato.

Las clases de inglés

Por Pura Coincidencia
Enviado el 08/03/2015, clasificado en Varios / otros
125 visitas

Como cada martes y jueves, allí sentada, con esa inexplicable sensación de incomodidad que nos acompaña cuando hacemos algo a regañadientes. No era obligatorio asistir a las clases de inglés para adultos, pero era justo dar la razón a quienes tan insistentemente me decían que, sin hablar inglés, no iría a ninguna parte.

La profesora nativa era una señora agradable y risueña, que se esforzaba lo indecible por tratar de hacernos pronunciar de manera que cualquier sajón pudiera entender qué decíamos sin necesidad de gesticular como un mono. Conmigo aún no lo había logrado. La pobrecilla ponía cara de pena, y me animaba con un «la próxima vez, seguro que mejor». Pero yo lo ponía en duda.

Volvimos a repasar el verbo auxiliar... Después de tres meses, seguíamos dando vueltas a los conceptos básicos del principio, ¿tan inútiles nos veía? Eché una ojeada a mi alrededor. Vale, sí, debía de vernos rematadamente lerdos y deberían ponerle un monumento por tratar de enseñar a quien es obvio que no va a aprender.

«To be». Di un respingo en la silla. Mis ojos se abrieron como platos, vi la luz, me di de bruces contra la realidad, la causa subyacente, ese motivo por el cual aborrecía desde la más tierna infancia los idiomas más que las Matemáticas incluso (y no era porque se me dieran de pena, que también). Sonreí. Lo vi claro, yo, que siempre me había interesado por todo en general, aunque por nada en particular, reconocí, después de tanto tiempo, por qué me arrastraba, más que acudir, a las clases de inglés.

Me levanté despacio, aunque era evidente que, en un aula con siete personas, mi ausencia se notaría. Me dirigí agachada hacia el perchero y la voz de la profesora surgió con más fuerza de la que solía emplear en sus explicaciones.

«¿Nos deja?». Asentí con la cabeza, el rostro dulce y sonriente se había puesto extremadamente serio. «¿Nos veremos el próximo lunes?». Desde luego, la sutileza británica se le había olvidado a la entrada. «Pues no», respondí. «No quiero seguir estudiando inglés». Tampoco es que nadie se sorprendiese, parecían aburridos más bien. Alguien aprovechó para mirar su teléfono móvil. Otro compañero se tomó un sorbo de agua y miró el reloj. «¿Ya sabe suficiente?». Había rechineo en la vocecita de la profesora. Era evidente que saber no sabía ni decir la hora correctamente, para qué engañarse. «No es eso. Es que creo que me va a resultar imposible hacerme entender en un idioma que no diferencia entre el *ser* y el *estar*».

2. Ordena los momentos del relato.

☐ De pronto se dio cuenta del verdadero motivo por el que no aprendía inglés.
☐ Decidió dejar de estudiar inglés.
☐ Estaba en clase aburrida viendo cómo no progresaban.
☐ Había intentado varias veces antes aprender inglés.
☐ Se apuntó a clases de inglés aunque sabía que no lo iba a aprender.

3. Responde a las preguntas.

a. ¿Por qué se apuntó a las clases de inglés?
b. ¿Qué experiencia tenía con otras clases de inglés?
c. ¿Por qué le parecían aburridas?
d. ¿Por qué decidió dejar el curso?

4. ¿Crees que está justificado el motivo por el que dejó el curso? ¿Por qué? Razona tu respuesta.

ALGUNAS EXPRESIONES ÚTILES

5. Relaciona las expresiones con su significado.

RELACIONA

1. Hacer algo a regañadientes.	**a.** Tener poca habilidad para hacer algo.
2. Esforzarse lo indecible por…	**b.** Sorprenderse.
3. Darle vueltas a algo.	**c.** Repetir una y otra vez lo mismo.
4. Dar un respingo.	**d.** Hacer un gran esfuerzo para conseguir algo.
5. Darse de bruces con la realidad.	**e.** Darse cuenta de algo, descubrir la verdad.
6. Dársele de pena hacer algo.	**f.** Sin ganas, sin poner interés o esfuerzo.

TRUCOS PARA HACER EL RELATO MÁS INTERESANTE

6. Observa la estructura y busca ejemplos en el relato anterior.

TRUCOS

1. Conviene alternar la narración de los hechos principales (pretérito perfecto simple) con la descripción de circunstancias (pretérito imperfecto de indicativo).
2. Rompe la línea de los acontecimientos con la narración de hechos anteriores (pretérito pluscuamperfecto) o la anticipación de hechos posteriores (condicional o *ir* en pretérito imperfecto + infinitivo).
3. Presenta alguna descripción cómica de algo o de alguien, en la que se incluya alguna nota irónica.
4. Presenta algo como inesperado, sorprendente.
5. Resolución de la dificultad, reflexión sobre cómo se podría haber evitado el problema o cuál es el punto clave del asunto.

REDACTA UN TEXTO CURIOSO

7. Sigue la pauta marcada, elige un tema y redacta tu texto.

ALGUNAS IDEAS:
- UNA METEDURA DE PATA EN TUS CLASES DE ESPAÑOL.
- UNA ANÉCDOTA DIVERTIDA EN UN VIAJE POR EL EXTRANJERO.
- UNA DIFICULTAD RESUELTA PARA APRENDER ALGO.

Machu Picchu (Perú)

12

PLATOS
TÍPICOS

Los platos más famosos de Perú, México y Argentina

EXTENSIÓN CULTURAL

Amplía tus conocimientos en **www.edelsa.es**

aulavirtual
amplía tus conocimientos on-line

Competencia
pragmática

- explicar tus gustos culinarios
- valorar platos
- debatir sobre las nuevas tendencias de la cocina

Competencia
lingüística: gramática

- usos del pronombre neutro *lo*
- usos de *se*
- la voz pasiva y la voz media

Competencia
lingüística: léxico

- las tapas y la comida
- técnicas de cocina
- verbos que cambian de significado con los pronombres

Competencia
sociolingüística

- el origen de las tapas
- la gastronomía peruana, mexicana y española
- la cocina Tex-Mex

DA TU OPINIÓN

« Desayuna como un rey, come como un príncipe y cena como un mendigo »

¿Qué crees que significa la frase? ¿Lo practicas? Explica tus hábitos.

APRENDE A COMER

Lee el texto y da una explicación a cada regla: ¿por qué hay que hacer eso? ¿Estás de acuerdo con ellas?

1. No comas nada que no le pareciera comida a tu bisabuela.
2. Evita productos que contengan ingredientes que nadie tendría en la despensa o que un niño de primaria no pueda pronunciar.
3. Cuidado con los productos que se venden como «light».
4. Siempre que puedas, aléjate del supermercado y apuesta por los mercados tradicionales.
5. Considera el hacerte *flexitariano* y come sobre todo verduras.
6. Comida basura sí, siempre que la cocines tú.
7. Para de comer antes de saciarte y come despacio.
8. Compra vasos y platos pequeños.
9. Come siempre sentado a la mesa e intenta no comer solo.
10. De vez en cuando, date un capricho y sáltate alguna de las reglas.

Comprende y debate

Comprensión auditiva

▶ **PREPÁRATE**

¿QUÉ SABES DE LAS TAPAS?

1. Lee estas definiciones que propone la Real Academia de la Lengua para *tapa*, *pincho* y *ración*, observa las tres imágenes y escribe tu propia definición de cada una de las palabras.

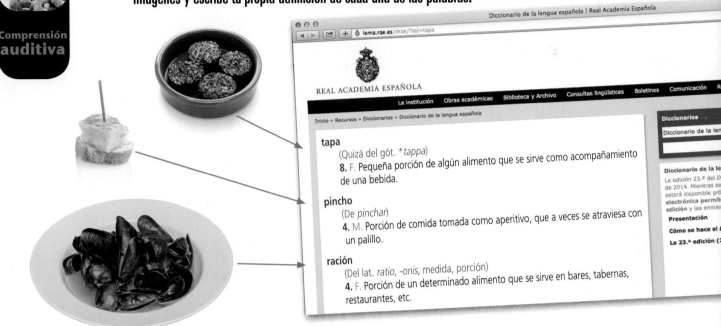

Diccionario de la lengua española | Real Academia Española

lema.rae.es/drae/?val=tapa

REAL ACADEMIA ESPAÑOLA

La institución   Obras académicas   Biblioteca y Archivo   Consultas lingüísticas   Boletines   Comunicación

Inicio » Recursos » Diccionarios » Diccionario de la lengua española

tapa
(Quizá del gót. *tappa*)
8. F. Pequeña porción de algún alimento que se sirve como acompañamiento de una bebida.

pincho
(De *pinchar*)
4. M. Porción de comida tomada como aperitivo, que a veces se atraviesa con un palillo.

ración
(Del lat. *ratio, -onis*, medida, porción)
4. F. Porción de un determinado alimento que se sirve en bares, tabernas, restaurantes, etc.

Diccionarios
Diccionario de la len

2. Lee este texto e indica por qué estos platos no pueden ser tapas ni raciones.

Los españoles son muy aficionados a tomar pequeñas porciones de comida en los bares como aperitivo. Estas comidas saladas se toman en dos modalidades principalmente: los pinchos o tapas que, de forma individual, acompañan cada bebida, en muchos casos de forma gratuita, o las raciones que piden varios amigos para compartirlas.

▶ **COMPRENDE**

EL ORIGEN DE LAS TAPAS

PISTA 🎧19

Actividad interactiva de audio descargable en tuaulavirtual

3. Escucha el reportaje sobre el origen de la tapa y contesta a las preguntas.

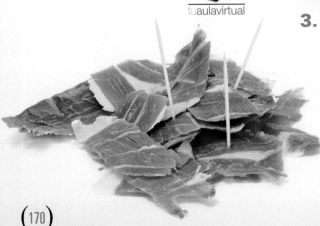

1. ¿Dónde y por quién fue usado por primera vez el término «llamativos» para referirse a la tapa? ¿Cuál fue la palabra empleada por Quevedo? ¿Por qué?
2. ¿Qué tuvo que ver el rey Alfonso X el Sabio con el origen de las tapas?
3. Cuenta lo que pasaba en la época de los Reyes Católicos.
4. ¿A qué otro rey se relaciona con la tapa y por qué?
5. Menciona las ventajas de las tapas con respecto a los platos de la cocina tradicional.
6. ¿Cuál es uno de los mayores atractivos de las tapas y por qué?

4. Elige la opción correcta.

1. «Ebrio» significa...
   a. ☐ bebido.   **b.** ☐ sobrio.   **c.** ☐ abierto.

2. «Loncha» es sinónimo de...
   a. ☐ trozo grande.   **b.** ☐ rodaja.   **c.** ☐ aperitivo.

3. «Labriego» está relacionado con...
   a. ☐ labrador que vive en la ciudad.   **b.** ☐ labrador que no trabaja el campo.   **c.** ☐ labrador que vive en el campo.

4. «Comensal» es una persona que...
   a. ☐ come siempre en casa.
   b. ☐ come con otras en el mismo lugar o mesa.
   c. ☐ gasta mucho dinero en comer.

5. Resume con tus propias palabras las diferentes teorías sobre el origen de la tapa según la audición.

▶ **REFLEXIONA Y PRACTICA**

LA VOZ PASIVA CON *SER* Y *ESTAR*

LA VOZ PASIVA Y MEDIA

«El término "llamativos" **fue usado** por Cervantes en el *Quijote* para referirse a la "tapa"».
«Las tapas **están** completamente **consolidadas** en la gastronomía del país».
«**Se toman** de pie».

Pulpo a la gallega

6. Transforma estas frases como en el ejemplo.

> SIRVEN VARIOS PINCHOS LOS FINES DE SEMANA ANTES DE COMER Y DE CENAR.

↓

Se sirven varios pinchos los fines de semana antes de comer y de cenar.

Varios pinchos son servidos los fines de semana antes de comer y de cenar.

Antes de comer y de cenar ya están servidos varios pinchos.

1. HACEN LA TORTILLA CON PATATAS, HUEVOS Y ACEITE.

2. ABREN LOS BARES DE DOCE Y MEDIA A TRES PARA DAR EL APERITIVO.

3. ACTUALMENTE CENAN DE TAPAS: TOMAN UNA BEBIDA Y UN PINCHO O UNA TAPA EN UN BAR Y VAN A VARIOS BARES.

▶ **ACTÚA**

TU EXPERIENCIA CON LAS TAPAS

7. Responde a estas cuestiones.

- ¿Has ido a tapear o de tapeo alguna vez a algún restaurante o bar español? ¿Cuál es tu tapa preferida?
- ¿Es típico tomar tapas en tu país? ¿Hay algo parecido a las tapas o alguna costumbre gastronómica parecida?

8. Cuéntanos una costumbre gastronómica de tu país.

- ¿Cómo es?
- ¿A ti te gusta?
- ¿Por qué?

UN BLOG DE UN VIAJERO POR EL MUNDO

1. Lee esta entrada de un blog.

EL PAÍS

Ir a **El Viajero**

● **SOBRE EL BLOG**

Un blog de viajes para gente viajera en el que tienen cabida todos aquellos destinos, todos aquellos comentarios, todas aquellas valoraciones que no encontrarás en otros medios.

Un espacio abierto a la participación con información diaria y actualizada sobre países y ciudades, alojamientos, transportes, gastronomía, rutas, ideas para ahorrar dinero o para gastárselo en lo mejor en lo que uno puede invertir su tiempo: en viajar. Todo contrastado y analizado en primera persona.

paconadalsl@gmail.com

08 SEP 2014 Elogio de la cocina peruana

Por: Paco Nadal

● **SOBRE EL AUTOR**

Paco Nadal es viajero-turista antes que periodista y culo inquieto desde que tiene uso de razón. Estudió Ciencias Químicas pero acabó recorriendo el mundo con una cámara y contándolo. Escribe en EL PAÍS sobre viajes y turismo desde el año 1992. Es también escritor y fotógrafo, colabora con la Cadena Ser, además de presentar series documentales en diversas televisiones.

Estoy de viaje por Perú y, como siempre que recorro este país, no dejo de maravillarme con lo bien que se come aquí. Y no me refiero a la nueva cocina peruana de chefs afamados, lo cual sería de esperar. Lo que quiero decir es que en Perú se puede comer bien hasta en los garitos más humildes, ya sea una chifa (restaurante chino-peruano), una cevichería popular o en un restaurante callejero anónimo. Y además, a un precio de lo más asequible. Eso es lo que hace grande a la gastronomía peruana a los ojos de un viajero.

La cocina peruana es –junto con la mexicana– la más rica y variada de América. Lleva siglos mestizándose con otras cocinas: con la española en el siglo XVI; con la china en el XIX; luego se mezcló con la japonesa. Lo del mestizaje con la española se ve en sus famosos ceviches, que son una adaptación local de los escabeches llevados por los españoles. El arroz chaufa es una versión andina del arroz frito chino. Y así infinidad de platos.

Una de las materias que más me gusta de la cocina peruana, además de los pescados crudos y macerados, es la quinua, un cereal usado en los Andes desde época preincaica que cayó en desuso en la época colonial y que ahora los grandes maestros de la cocina andina han vuelto a poner de moda. Este fin de semana he estado conviviendo con una familia quechua, y para cenar lo mejor era la sopa de quinua.

La semana pasada estuve en otra comunidad indígena del valle Sagrado y me ofrecieron para comer una watia, comida popular que consiste en asar en un horno hecho bajo tierra varios tipos de papas, camote (batata o boniato), choclo (maíz), judías y plátano, acompañado por una salsa de ají picante (chile, pimiento). Un manjar vegetariano y sencillo en extremo, pero diferente a todo.

Para estómagos más resistentes recomiendo los anticuchos, brochetas con trozos de corazón de vaca asados. Aunque personalmente con lo único que no puedo es con el cuy, un conejillo de Indias considerado el manjar nacional, pero que se me atraganta desde que lo vi matar y pelar.

En fin, si viajáis por Perú, no hagáis lo mismo que los turistas: ir siempre a restaurantes con comida internacional. Romped prejuicios y entrad en una cevichería popular, una chifa o una humilde casa de comidas y pedid unas papas a la huancaína, un sudado de pescado, unos tamales, unas salteñas o una causa. La relación calidad-precio os dejará asombrados.

2. Relaciona las dos columnas.

RELACIONA

1. Garito
2. Asequible
3. Macerado
4. Manjar
5. Brocheta
6. Atragantar

a. De precio razonable.
b. Varilla en la que se ensartan trozos de alimentos para asarlos.
c. Quedarse atravesado un alimento en la garganta.
d. Comida exquisita o apetitosa.
e. Lugar pequeño donde se puede comer o beber.
f. Ablandar un alimento sumergiéndolo en un líquido.

3. Contesta a las preguntas.

1. ¿Qué es lo que más le gusta al bloguero Paco Nadal de su viaje por Perú?
2. Explica con tus palabras por qué la cocina peruana es una de las más ricas y variadas de América Latina.
3. ¿Qué materias primas de la cocina peruana le gustan más a Paco Nadal?
¿Qué se ha vuelto a poner de moda? ¿Qué fue lo mejor que cenó con la familia quechua?
4. ¿Qué es una watia?
5. ¿Qué plato recomienda el bloguero para estómagos más resistentes?
6. ¿Cuál es considerado el manjar nacional? ¿Le gusta a Paco Nadal? Explícalo.
7. ¿A qué se refiere con la frase «no hagáis lo de los turistas»?
8. ¿Qué crees que le gusta más al bloguero, la alta cocina peruana de fusión o la tradicional?

APRENDE VOCABULARIO

4. Responde a estas cuestiones sobre la entrada del blog.

1. Encuentra en el texto sitios donde se puede comer. Ej.: en una chifa, ...
2. Escribe los nombres de alimentos que usan los peruanos en sus platos. Ej.: la papa.
3. Observa las fotos de la derecha de la gastronomía peruana y marca cuáles de estos platos se mencionan en el texto.

FÍJATE EN LA GRAMÁTICA

5. Subraya en el texto todas las frases que encuentres con *lo*. Luego, termina estas frases.

Lo que más me gusta de la cocina de mi país es/son...
Lo mejor es/son...
Lo más sabroso que he comido nunca es/son...
Los/Las... son de lo más delicioso de nuestra gastronomía.
Lo que menos me gusta es...
Lo peor es/son...
Lo más asqueroso que he comido nunca es/son...
Los/Las... son de lo peor de nuestra gastronomía.

OPINA: ¿SABES COMER?

6. Responde, con tu compañero, a estas preguntas.

¿Te gusta comer en restaurantes de comida extranjera? ¿Conoces la comida peruana? ¿Has ido alguna vez a algún restaurante peruano/mexicano/argentino/latino? ¿Cuál es el plato más exótico, desde tu punto de vista, de los que has probado?

Papas a la huancaína

Ceviche de pescado

Lomo saltado

Tamales de pollo

Ocopa arequipeña

Ají de gallina

Tacu tacu

Causa limeña

Usos de *lo*, la voz pasiva y media, y la impersonalidad

Evalúate

Total _____ / 32

CONSTRUCCIONES CON *LO*

Lo que y lo cual se emplean para referirse a algo que se acaba de decir.

- Lo que puede emplearse sin antecedente expreso. Se utiliza con indicativo y con subjuntivo.
  Lo que quiero decir es que en Perú se puede comer bien en cualquier parte.

- Lo cual necesita antecedente. Introduce una información adicional. Se utiliza con indicativo.
  No me refiero a la nueva cocina peruana, lo cual sería de esperar.

El artículo neutro lo

- Lo + adjetivo: nominaliza el adjetivo, presenta una característica abstracta.
  Para cenar el plato estrella, lo mejor era la sopa de quinua.

- Lo + adjetivo/adverbio + que: da mayor intensidad al adjetivo/adverbio.
  No dejo de maravillarme con lo bien que se come aquí.

- Lo de + artículo/posesivo + nombre: se usa para referirse a algo sin mencionarlo, porque el hablante no quiere o no lo puede nombrar.
  Lo del mestizaje con la cocina española se ve en sus famosos ceviches.

- De lo más + adjetivo/adverbio: se usa para expresar valoraciones; su sentido es parecido al del superlativo.
  Un precio de lo más asequible.

1. **Completa las frases con las expresiones siguientes:** *lo que, lo cual, lo mejor, lo triste, lo agradable que, lo de, de lo más.*

- **a.** Este chile con carne es .... sabroso.
- **b.** Su forma de cocinar este plato no tiene nada que ver con .... me había explicado.
- **c.** Este libro de recetas reúne .... de la cocina peruana.
- **d.** El restaurante que había en mi calle ha cerrado, ... es una pena porque se comía estupendamente.
- **e.** ¿Te has enterado de .... Jorge?
- **f.** El banquete no estuvo del todo mal, pero .... fue que algunos invitados se intoxicaron con la nata.
- **g.** Se nos había olvidado .... eran las largas sobremesas, con tertulias disfrutando de un buen café.

/ 7

USO DE *SE* REFLEXIVO PARA EXPRESAR UN ACCIDENTE

1. Se utiliza la forma reflexiva con sujetos no animados para expresar un accidente o algo espontáneo.
Se quemó la tostada. La fuente de cristal se rompió en pedazos. Se cayó la salsa y se manchó todo el mantel.

2. Se usa con los pronombres me/te/le/nos/os/les para indicar el causante involuntario del accidente o la persona afectada.
Se me quemó la tostada. La fuente de cristal se les rompió en pedazos. Se nos cayó la salsa y se nos manchó todo el mantel.

2. **Completa con los verbos conjugados, ten en cuenta que todos son acontecimientos involuntarios.**

> caer – escapar – estropear – inundar – manchar – romper – secar

a. Como no le echó suficiente caldo a la salsa y el fuego estaba muy alto, ... la salsa y la carne estaba incomible.

b. Han dejado el grifo abierto en el fregadero y .... la cocina.

c. La pareja estaba hablando de sus planes de boda y al novio .... el secreto delante de su futura suegra.

d. A mis compañeros de piso y a mí .... el microondas, así que tendremos que comprar uno en las rebajas.

e. José estaba cenando cuando .... la sopa encima del traje y ....

f. Mis pobres vecinos estaban helados, ... la calefacción.

/ 6

LA PASIVA

Ser + participio (la pasiva de proceso): la acción está vista en su desarrollo, independientemente de que haya concluido o no. Se puede expresar el agente mediante la preposición **por**.
El término «llamativos» fue usado por Cervantes en el Quijote para referirse a la «tapa».

Estar + participio (la pasiva de estado o resultado): se centra la atención en el resultado final del proceso, visto como estado duradero. Nunca se indica el agente.
Las tapas ya están completamente consolidadas en la gastronomía del país.

La voz pasiva se usa poco en español, se emplea sobre todo en registros cultos y en lengua escrita. En general, se prefiere el verbo en activa con el pronombre **se**: *Las tapas se toman de pie.*

3. **Subraya la opción correcta.**

a. • ¿La ensaladilla rusa ya es/está hecha?
   • Sí, la acabo de terminar.

b. El restaurante fue/estuvo destrozado por la explosión del gas de la cocina.

c. La fregona, ese invento que permitió dejar de fregar el suelo de rodillas, fue/estuvo inventada por el español Manuel Jalón.

d. Toda la comida ya era/estaba preparada cuando llegaron los invitados.

e. Las patatas fritas eran/estaban desparramadas por toda la cocina.

f. Era/Está comprobado que la tapa preferida por los españoles es la tortilla de patatas.

/ 6

4. **Transforma en pasiva con *se*.**

a. La sopa ha sido colada para que no tenga grumos.

b. Ferran Adrià, el chef más famoso de mi país, ha sido alabado por mucha gente.

c. Todavía no ha sido descubierto un robot de cocina que lo haga todo.

d. Estos platos han sido cocinados con mucho amor para la fiesta de fin de curso.

e. Ya ha sido inaugurada una cafetería en el centro comercial.

f. El banquete ha sido servido en la terraza del club.

/ 6

5. **Transforma las frases a la voz pasiva.**

a. El dueño del restaurante argentino aumentará progresivamente los precios.

b. Por fin en el club náutico ya contrataron a un afamado chef.

c. Antes de meterlo en el horno, cubre el bizcocho de nata y chocolate.

d. El perro mordió a la camarera.

e. En los mejores bares, cocinan las tapas con productos de primera calidad.

f. Los bomberos extinguieron el fuego en las cocinas del hotel.

/ 6

UNA DE TAPAS, MARCHANDO

1. Adivina de qué tapa se habla y numéralas en el orden en que las escuchas.

PISTA 🎧 20
tuaulavirtual

Actividad interactiva de audio descargable en tuaulavirtual

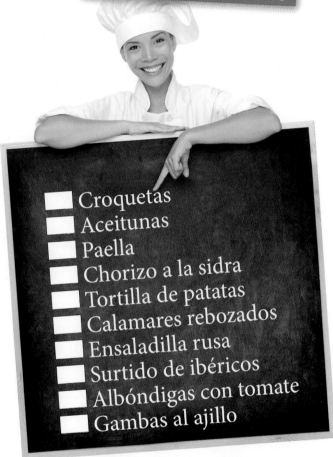

Las 10 tapas que triunfan en el mundo

☐ Croquetas
☐ Aceitunas
☐ Paella
☐ Chorizo a la sidra
☐ Tortilla de patatas
☐ Calamares rebozados
☐ Ensaladilla rusa
☐ Surtido de ibéricos
☐ Albóndigas con tomate
☐ Gambas al ajillo

2. Contesta a las preguntas.

1. ¿Qué tapas no tomaría una persona vegetariana?
2. ¿Qué producto es distintivo en un bar español?
3. ¿De cuántas variantes se puede hacer una paella?
4. Nombra los dos ingredientes básicos de la ensaladilla rusa.
5. ¿Con qué tapa no te debes pasar con el picante?
6. ¿Qué otro nombre se le da también al chorizo a la sidra?
7. ¿Qué tapa se hace con bechamel y jamón?
8. ¿Qué receta podrían patentar también los italianos?
9. ¿Qué embutidos se nombran en el surtido de ibéricos?

Gambas al ajillo

Aceitunas

3. Marca el diferente y di por qué lo es.

1. pincho, ración, plato combinado, tapa
2. sabroso, incomible, dulce, exquisito
3. malo, podrido, comestible, caducado
4. aceitunas, almendras, nueces, avellanas
5. cazuela, olla, recipiente, taza
6. chorizo, salchichón, queso, lomo
7. aceite de oliva, aceite de girasol, vino, vinagre
8. frito, asado, cortado, a la plancha
9. picante, salado, amargo, quemado

Croquetas

4. Completa las frases con las palabras del ejercicio anterior.

Calamares a la romana

1. Tardamos tanto tiempo en consumir las galletas que, cuando abrimos el paquete, ya estaban ....
2. La paella de mi madre estaba ...., llevaba de todo: gambas, pollo, verdura... ¡insuperable!
3. Desde que estoy a dieta, lo tomo todo cocinado con muy poco aceite, es decir, ...
4. En su país, todas las salsas son muy ...., con muchos sabores de las especias que le ponen.
5. Cuando voy a esa cafetería a comer, tomo un .... que lleva huevos fritos, patatas, chorizo y morcilla.
6. En España las ensaladas se aliñan casi siempre con vinagre y ....
7. A mí me gusta tomarme el café con leche en ...., y no en vaso alto.
8. Las .... de donde se saca el preciado aceite son un aperitivo muy común en los bares españoles.
9. A mucha gente no le sienta bien el .... aunque a mí me encanta, como el ají o el chile.

LOS CONSEJOS DE UNA
EXPERTA COCINERA

Ensaladilla rusa

5. Relaciona las dos columnas y descubre los consejos.

RELACIONA

1. Aliñar la ensalada	**a.** a fuego lento en abundante aceite para que se hagan por dentro.
2. Batir mucho los huevos	**b.** antes de hacer la tortilla para que quede esponjosa.
3. Cocer la pasta	**c.** antes de beberla para evitar virus.
4. Cortar el pan	**d.** con pan rallado muy fino.
5. Empanar los filetes	**e.** con un buen aceite de oliva virgen y con un poco de vinagre de Jerez.
6. Escurrir bien la lechuga	**f.** con un cuchillo de sierra, no con uno liso.
7. Freír las patatas	**g.** en abundante agua con un poco de sal y un chorrito de aceite.
8. Hervir la leche fresca	**h.** la fruta antes de comerla cruda.
9. Lavar bien y pelar	**i.** para que no haya agua en la ensalada.

¿*IR* O *IRSE*?

6. Observa estos verbos que cambian de significado con los pronombres.

JUGAR: *TOMAR PARTE EN UN JUEGO*	JUGARSE: *ARRIESGARSE*
OCUPAR: *UTILIZAR*	OCUPARSE: *DEDICARSE*
FIJAR: *PEGAR*	FIJARSE: *PONER ATENCIÓN*
ECHAR: *SACAR FUERA*	ECHARSE: *DORMIR, ACOSTARSE*
PASAR: *ENTRAR*	PASARSE: *EXCEDERSE*
VOLVER: *REGRESAR*	VOLVERSE: *GIRARSE*

Tortilla de patatas

Champiñones al ajillo

7. Completa las frases con la forma verbal con pronombre en el tiempo y forma adecuados.

1. Carmen .... cuando le dijo al camarero que esa era la peor paella que había probado en su vida.

2. De viaje por el Amazonas, los turistas .... sus vidas probando alimentos de dudosa apariencia.

3. Vi al camarero de espaldas, lo llamé, ... inmediatamente y nos atendió muy amablemente.

4. Jaime entró en ese restaurante porque .... en un cartel que decía que tenían comida para celiacos.

5. La comida no me sentó bien, por eso .... un rato en la cama antes de volver al trabajo.

6. - ¿De qué .... tu hermano exactamente en la cafetería?
    - Sirve las mesas y a veces friega los platos también.

Paella

Exprésate ▶ La nueva gastronomía, ¿un éxito o un engaño?

PREPÁRATE:
LA CONTROVERSIA DE LA COMIDA TEX-MEX

1. Lee y expresa tu punto de vista. ¿Qué opinas de la cocina Tex-Mex?

El gran chef Guillermo González Beristaín defiende la cocina Tex-Mex

Si existe una cocina incomprendida, es la Tex-Mex. Como mexicanos, el simple hecho de oír su nombre nos causa molestia y nos referimos a ella con desprecio. Pero yo personalmente he tenido la oportunidad de conocerla, entenderla y, aunque suene como traición para un mexicano, respetarla.

Decir que la cocina Tex-Mex solo son nachos con queso amarillo y jalapeño de lata es lo mismo que decir que la comida mexicana son garnachas con lechuga, crema y queso sintético rallado.

El género Tex-Mex debemos considerarlo como un componente de la cocina americana regional, que no pretende ser nada más que eso. Sus orígenes lo propician diversas migraciones. La primera fue a finales del siglo XVI, en la época de las misiones españolas, cuando los colonizadores trajeron sus tradiciones, las cuales debieron compaginarse con las de los indígenas nativos.

La siguiente influencia viene con una segunda migración española de las islas Canarias. Estos pobladores llegaban acompañados de su servidumbre, en su mayoría del norte de África, y ellos a su vez trajeron consigo sus característicos guisos picantes basados en carne con especias, particularmente comino y semilla de cilantro, dando pie a un plato emblema del Tex-Mex: el chili con carne.

La tercera migración, y posiblemente la que más aportó, fue la de los pobladores del centro de México que migraron a Texas, región en esa época aún perteneciente a México, llevándose consigo el bagaje cultural y culinario de sus casas, a la fuerza adaptado a los ingredientes que encontraban a su disposición.

Pero no hay duda de que para muchos cocineros en México la cocina es como la religión; siempre habrá algunos que ejercen la doble moral, poniendo el grito en el cielo por los herejes que se atreven a utilizar el queso amarillo en las enchiladas, mientras que presumen, por otro lado, de su aportación a la modernización de la cocina mexicana sirviendo ceviche acapulqueño con soya y *wasabi*. Tal vez por eso soy ateo.

2. ¿Cuál de estas dos opciones resume mejor el texto?

a. El texto deja claro que la comida Tex-Mex tiene su público y que, aunque utiliza productos no originarios de México, es completamente mexicana.

b. El texto explica el origen y las influencias que tuvo la cocina Tex-Mex y la defiende como particular de una región determinada y añade que la debemos respetar.

3. Escucha otra opinión y responde a la pregunta.

PISTA 🎧 21   *Actividad interactiva de audio descargable en* tuaulavirtual

tuaulavirtual

1. ¿Por qué se enfada tanto el chef mexicano Bricio Domínguez?
2. ¿Qué opinión le merece al cocinero Roberto Ruiz la cocina Tex-Mex?

TERTULIA

4. Discute con tus compañeros.
¿Es la cocina un arte o un engaño?

¡Que no te la den con queso!

> **PARA AYUDARTE**
>
> **Expresar falta de certeza y evidencia:**
> - Lo que no entiendo es por qué...
> - No estoy (absolutamente/del todo) seguro/convencido de que + *subj.*
> - Tengo la sensación/impresión...
> - Tengo (mis) dudas sobre/acerca de...

¿Crees que es malo adaptar la comida de un país/región y convertirla en algo diferente? ¿Qué opinión tienes de la cocina fusión? ¿Crees que se pierde o se gana algo con respecto a sabores, texturas, etc.? Da ejemplos.

Cuando viajas a un país extranjero y ves restaurantes típicos de tu nacionalidad, ¿crees que realmente cocinan al estilo de tu país o que cambian los platos para que resulten más atractivos a los paladares y gustos del país en donde está el restaurante?

> **PARA AYUDARTE**
>
> **Dar una opinión:**
> - A mi modo de ver, ...
> - Según mi opinión...
> - (Yo) considero/opino que...
> - (Yo) diría que...
> - (Yo) no creo/no pienso/no considero/no opino /no veo/(A mí) no me parece que + *subj.*

> **PARA AYUDARTE**
>
> **Pedir opinión/valoración:**
> - ¿Qué te parece lo de la cocina Tex-Mex...?
> - ¿Qué opinas de que haya tantos detractores/seguidores de la cocina Tex-Mex?
> - ¿Te parece (una) buena/mala idea lo de adaptar la cocina de un país?
> - ¿Cómo ves lo de...?

Expresión escrita

EL GENIAL NERUDA

1. Antes de leer la oda, piensa en palabras o adjetivos que utilizarías para describir el caldillo (sopa) de congrio (pez alargado).

2. Ahora, lee el texto y subraya los 6 sustantivos relacionados con el campo semántico de los sentidos.

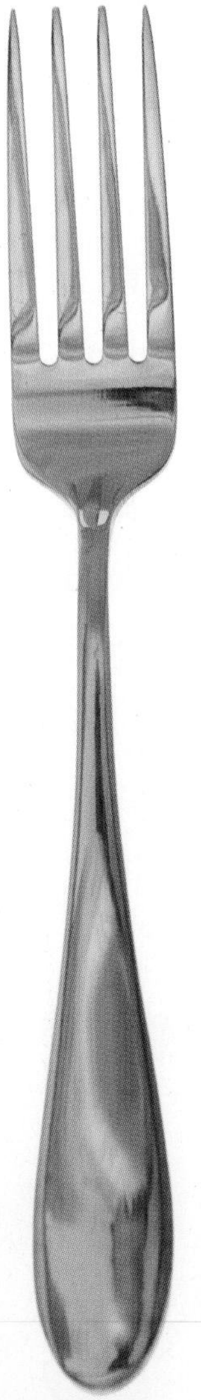

Oda al caldillo de congrio

En el mar
tormentoso
de Chile
vive el rosado congrio,
5 gigante anguila
de nevada carne.
Y en las ollas
chilenas,
en la costa,
10 nació el caldillo
grávido y suculento,
provechoso.
Lleven a la cocina
el congrio desollado,
15 su piel manchada cede
como un guante
y al descubierto queda
entonces
el racimo del mar,
20 el congrio tierno
reluce
ya desnudo,
preparado
para nuestro apetito.
25 Ahora
recoges
ajos,
acaricia primero
ese marfil
30 precioso,
huele
su fragancia iracunda,
entonces
deja el ajo picado
35 caer con la cebolla
y el tomate
hasta que la cebolla
tenga color de oro.
Mientras tanto

40 se cuecen
con el vapor
los regios
camarones marinos
y cuando ya llegaron
45 a su punto,
cuando cuajó el sabor
en una salsa
formada por el jugo
del océano
50 y por el agua clara
que desprendió la luz de la cebolla,
entonces
que entre el congrio
y se sumerja en gloria,
55 que en la olla
se aceite,
se contraiga y se impregne.
Ya solo es necesario
dejar en el manjar
60 caer la crema
como una rosa espesa,
y al fuego
lentamente
entregar el tesoro
65 hasta que en el caldillo
se calienten
las esencias de Chile,
y a la mesa
lleguen recién casados
70 los sabores
del mar y de la tierra
para que en ese plato
tú conozcas el cielo.

Pablo Neruda

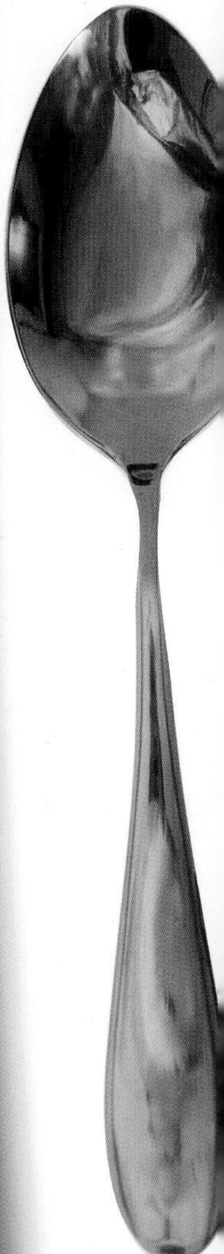

3. Responde a las preguntas.

1. ¿A qué otro pez es parecido el congrio según la oda?
2. Encuentra léxico relacionado con la elaboración de una receta. Ejemplo: cocer al vapor, ...
3. ¿Qué ingredientes se mencionan en la oda?
4. «Desollado» significa... a. sin piel. b. rugoso. c. salado.
5. ¿Con qué compara a los ajos?
6. ¿Qué marisco se le echa al caldillo?
7. Di qué transformación experimenta el congrio al entrar en la olla con agua hirviendo.
8. En la oda encontramos léxico que no es propio de una receta. ¿Por qué crees que Neruda lo utiliza?
9. Explica con tus palabras el último verso.

CONOCE AL AUTOR

4. Lee lo que se dice de él y de su obra.

Pablo *Neruda*

Quizá te sorprenda

Pablo Neruda (Parral, Chile, 1904 – Santiago, Chile, 1973) es el poeta chileno más importante y está considerado como uno de los mejores y más influyentes artistas contemporáneos. Gabriel García Márquez lo consideraba como: «el más grande poeta del siglo xx en cualquier idioma». Su obra más conocida es *Veinte poemas de amor y una canción desesperada* (1924). Entre sus múltiples reconocimientos, destaca el Premio Nobel de Literatura en 1971.

Ricardo Neftalí Reyes Basualto fue su nombre verdadero. El seudónimo lo tomó como homenaje al poeta checo Jan Neruda y lo hizo porque su padre no le permitía escribir.

Vivió exiliado en Europa entre 1949 y 1952. A estos años debemos el argumento de la película italiana *El cartero* (1994).

Fue el sexto autor hispanoparlante en recibir el Nobel de Literatura.

ESCRIBE TU TEXTO

5. Escribe una oda de unos 15 versos aproximadamente a tu alimento/plato de cocina preferido o al más odiado.

Usa tu imaginación, compara el alimento con otras cosas placenteras o que tú detestes.

1. FORMAS VERBALES

▶ Los usos de los tiempos del pasado

EL PRETÉRITO IMPERFECTO DE INDICATIVO

Valores temporales	**Valores no temporales**
Hábitos en pasado.	Acción interrumpida implícitamente por el contexto.
Antes vivía en una choza.	*¿De qué estábamos hablando?*
Acciones que se están desarrollando en un momento del pasado.	Pensamiento (o creencia) interrumpido explícita o implícitamente.
Cuando los bancos daban préstamos grandes.	*Pensaba decírtelo yo (pero lo dijo Juan).*
Descripciones en pasado.	Valor lúdico y onírico.
Los pueblos indígenas eran pobres.	*Soñé que íbamos a un cine y nos metíamos en la película.*

Unidad 7, página 104

EL PRETÉRITO PLUSCUAMPERFECTO DE INDICATIVO

Valores temporales	**Valores no temporales**
Expresa una acción pasada anterior a otra pasada.	Pensamiento (o creencia) finalmente desestimada.
Lo que se había escrito hasta entonces era vago.	*Había pensado hacerme cooperante (pero no me decidí).*

Unidad 7, página 104

▶ El futuro compuesto

LA FORMA

Verbo *haber* en futuro + participio

(Yo)	habré	
(Tú, vos)	habrás	
(Él, ella, usted)	habrá	+ participio
(Nosotros, nosotras)	habremos	
(Vosotros, vosotras)	habréis	
(Ellos, ellas, ustedes)	habrán	

LOS USOS DEL FUTURO COMPUESTO

1. Para expresar una acción futura, pero pasada con respecto a otra futura.
Para cuando nos mudemos, ya habrán terminado el carril bici.
Dentro de dos meses echaremos cuentas. Yo habré gastado menos que tú.

2. Para hacer una hipótesis sobre lo que ha ocurrido antes.
Juan no ha vuelto a casa todavía. Se habrá quedado en el cole, jugando.

Unidad 8, página 118

▶ El pretérito perfecto de subjuntivo

LA FORMA

Verbo *haber* en presente de subjuntivo + participio

(Yo)	haya	
(Tú, vos)	hayas	
(Él, ella, usted)	haya	+ participio
(Nosotros, nosotras)	hayamos	
(Vosotros, vosotras)	hayáis	
(Ellos, ellas, ustedes)	hayan	

LOS USOS DEL SUBJUNTIVO CON VERBOS DE OPINIÓN

Todos los verbos de opinión (*creer, pensar...*) se construyen con indicativo, excepto cuando van en forma negativa, que llevan subjuntivo.
Creo que las compras deben hacerse con la cabeza.
No creo que esa oferta sea tan interesante.

Creo que le ha entrado un virus.
No creo que se haya estropeado.

Unidad 2, página 33

Unidad 2, página 34

Gramática

El pretérito imperfecto de subjuntivo

LA FORMA DEL PRETÉRITO IMPERFECTO DE SUBJUNTIVO EN -RA

Infinitivo	Pretérito simple	Pretérito imperfecto de subjuntivo	
ACABAR	acabé	acab	+ -ara, -aras, -ara, -áramos, -arais, -aran
SER	fui	fu	+ -era, -eras, -era, -éramos, -erais, -eran
HACER	hice	hic	+ -iera, -ieras, -iera, -iéramos, -ierais, -ieran
VENIR	vine	vin	

Ejemplo

Me dijo que acabara ya el examen.
Nos pidió que fuéramos formales.
Les pidió que hicieran la entrevista.

Unidad 4, página 59

PARA FORMAR EL IMPERFECTO DE SUBJUNTIVO

Se forma a partir de la tercera persona del plural del pretérito perfecto simple (la forma –aron y –ieron), que cambia a –ara y a –iera o a –ase y a –iese.

Cantar – cantaron > cantara
Beber – bebieron > bebiera
Escribir – escribieron > escribiera
Ir – fueron > fuera

Unidad 4, página 62

EL PRETÉRITO IMPERFECTO DE SUBJUNTIVO EN -SE

El imperfecto de subjuntivo tiene dos formas. Significan lo mismo.

Ojalá volvieran a poner ese documental tan bueno = Ojalá volviesen a poner ese documental tan bueno.
Me interesaría que me hablaras de tu experiencia = Me interesaría que me hablases de tu experiencia.

Unidad 6, página 90

EL IMPERFECTO DE SUBJUNTIVO CON VALOR DE DESEO, CON ADVERBIOS DE DUDA Y CON VALOR DE CORTESÍA

1. Puede indicar un deseo:
- improbable en el futuro (*Ojalá mañana no lloviese*).
- irreal en presente o de forma general (*Quién pudiera comprarse un Ferrari*).
- imposible porque se refiere al pasado (*Espero que su padre nunca supiera lo que pasó*).

2. Con adverbios de duda (*tal vez, quizá*) o expresiones de suposición (*es posible que, puede que*), indica un hecho muy poco probable, referido al pasado (*Tal vez lo supiese*). Contrasta con el indicativo, que expresa un mayor grado de probabilidad.

3. También puede expresar cortesía en un lenguaje muy formal (*Quisiera un pantalón rebajado*). Es el único uso en el que no se puede usar la forma en *-se*.

Unidad 6, página 90

El pretérito pluscuamperfecto de subjuntivo

EL PRETÉRITO PLUSCUAMPERFECTO DE SUBJUNTIVO

Se forma con el pretérito imperfecto del verbo *haber* + el participio del verbo.

	HABER	
(Yo)	hubiera	
(Tú, vos)	hubieras	
(Él, ella, usted)	hubiera	trabajado
(Nosotros, nosotras)	hubiéramos	+ comido
(Vosotros, vosotras)	hubierais	vivido
(Ellos, ellas, ustedes)	hubieran	

Usos:

1. Para formular un deseo que nunca se realizó y lamentarse por ello.
Ojalá hubieras estado conmigo cuando se produjo el terremoto.

2. Para expresar una condición no cumplida en el pasado.
Si hubieran llamado a los servicios de emergencias, se habrían salvado.

3. Para expresar una fuerte oposición de ideas en pasado, tanto referida a acciones irreales como poco probables.
Aunque hubieran avisado por la tele, no habría habido tiempo de tomar medidas al respecto.

Unidad 10, página 147

Gramática

2. ORACIONES CON *SER* Y *ESTAR*

▶ Los usos de *ser* y de *estar*

LOS USOS DE *SER* Y DE *ESTAR*

1. Se utiliza el verbo **ser** con adjetivos para expresar el carácter o características esenciales propias de lo que se describe.

2. Se utiliza el verbo **estar** con adjetivos para describir estados.

Unidad 1, página 19

3. Algunos adjetivos tienen significados distintos según van seguidos de *ser* o de *estar*:

	SER...	ESTAR...
abierto	sociable, amistoso	no cerrado
aburrido	aburrir a los demás	sentir aburrimiento
cerrado	no sociable, tímido, reservado	no abierto
despierto	listo, inteligente	no estar dormido/a
entretenido	entretener, divertir a los demás	no estar aburrido, estar ocupado
listo	inteligente	preparado
malo	no bueno, tener mala intención	enfermo/a
maduro	tener madurez, no infantil	no verde, en su punto
rico	tener mucho dinero	sabroso, tener buen sabor
seguro	no peligroso	protegido
verde	tener ese color	inmaduro

4. Además, muchos adjetivos detrás de *ser* indican una característica esencial, mientras que detrás de *estar* indican un estado:
Es una persona muy limpia, tiene buenos hábitos higiénicos.
La mesa está limpia. Acabo de limpiarla.
Este edificio es muy alto. Tiene dieciocho pisos.
Ese cuadro está demasiado alto. Hay que bajarlo un poco.

Unidad 1, página 21

▶ La voz pasiva y la voz media

LA PASIVA

Ser + participio (la pasiva de proceso): la acción está vista en su desarrollo, independientemente de que haya concluido o no. Se puede expresar el agente mediante la preposición **por**.
El término «llamativos» fue usado por Cervantes en el Quijote para referirse a la «tapa».

Estar + participio (la pasiva de estado o resultado): se centra la atención en el resultado final del proceso, visto como estado duradero. Nunca se indica el agente.
Las tapas ya están completamente consolidadas en la gastronomía del país.

La voz pasiva se usa poco en español, se emplea sobre todo en registros cultos y en lengua escrita. En general, se prefiere el verbo en activa con el pronombre **se**: *Las tapas se toman de pie.*

Unidad 12, página 175

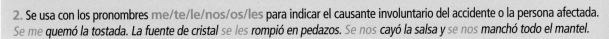

EL USO DE *SE* REFLEXIVO PARA EXPRESAR UN ACCIDENTE

1. Se utiliza la forma reflexiva con sujetos no animados para expresar un accidente o algo espontáneo.
Se quemó la tostada. La fuente de cristal se rompió en pedazos. Se cayó la salsa y se manchó todo el mantel.

2. Se usa con los pronombres me/te/le/nos/os/les para indicar el causante involuntario del accidente o la persona afectada.
Se me quemó la tostada. La fuente de cristal se les rompió en pedazos. Se nos cayó la salsa y se nos manchó todo el mantel.

Unidad 12, página 174

3. TIPOS DE ORACIONES COMPUESTAS

▶ Las oraciones relativas

LAS ESPECIFICATIVAS Y LAS EXPLICATIVAS

Las oraciones relativas sirven para dar más información sobre una persona, un animal, un objeto o un lugar. Se usan para:
- aclarar (especificar) de quién o de qué se habla.
  Un amigo que trabaja en una floristería me trae flores casi todos los días; otro me regala bombones.
- dar más información (explicar). En este caso van separadas por comas en la lengua escrita o marcadas por una pausa, en la lengua oral.
  Mi marido, que trabaja en una floristería, me trae flores casi todos los días.

Unidad 1, página 17 y página 20

LAS ORACIONES RELATIVAS CON INDICATIVO O SUBJUNTIVO

1. Se usa el indicativo cuando nos referimos a un antecedente concreto, conocido.
2. Se usa el subjuntivo con un antecedente no conocido, de forma genérica.
Mi novio es el que tiene un sombrero en la mano (un chico determinado).
Quiero un novio que tenga tiempo para mí (no se trata de un novio determinado, no se sabe quién es).

Unidad 1, página 17 y página 21

LOS PRONOMBRES RELATIVOS

1. El pronombre relativo más usual es que.
2. El/la/los/las que se usan cuando no hay un antecedente expreso:
- bien porque no nos referimos a nadie en concreto.
  Los que estén interesados pueden pasar por la oficina (= cualquier persona que esté interesada).
- o porque no lo decimos para no repetirlo.
  • *¿Qué coche te gusta más?*
  • *El que vimos ayer (= El coche que…).*
- o cuando van después de preposición.
  Vosotros, con los que estudié español, habláis muy bien.
3. En los mismos contextos que antes, podemos usar también quien/quienes para personas:
   Estas botellas de agua son para quienes han participado en la carrera (= para los que han…).
4. Para referirse a algo de forma general o no específica, a menudo se usa hay + antecedente + que o hay + quien.
   Hay cosas que no se pueden creer (= Algunas cosas no se pueden creer).
   Hay quien nunca está contenta (= Algunas personas nunca están contentas).

Unidad 1, página 20

5. Cuyo, cuya, cuyos, cuyas es un relativo que introduce algo poseído por el referente. Siempre va seguido de un sustantivo que denota lo poseído y concuerda con él en género y número.

… habían abierto por esos años la escuela montessoriana, cuyas maestras estimulaban los cinco sentidos…
Aprendí a apreciar el olfato, cuyo poder de evocaciones nostálgicas es arrasador.

Unidad 11, página 161

Gramática

▶ Las oraciones sustantivas

LOS USOS DEL SUBJUNTIVO CON VERBOS DE OPINIÓN

Todos los verbos de opinión (*creer, pensar…*) se construyen con indicativo, excepto cuando van en forma negativa, que llevan subjuntivo.

Creo que las compras deben hacerse con la cabeza.

No creo que esa oferta sea tan interesante.

Unidad 2, página 34

LAS ORACIONES IMPERSONALES DE CONSTATACIÓN Y DE VALORACIÓN

Usamos estas construcciones para confirmar que un hecho es cierto o dar nuestra valoración sobre un hecho.

Es evidente que esto está mal.

Es una lástima que tengas que irte.

con ser: + sustantivo: *es una lástima que...*   + adjetivo: *es horrible/estupendo que...*
con estar: + adjetivo: *está claro que...*   + adverbio (bien/mal): *está bien que...*

1. Con indicativo: principalmente de constatación en afirmativo.
- *es verdad/evidente/obvio/cierto/seguro que...*
- *está claro/visto/demostrado que...*
- *sucede/ocurre/pasa que...*

2. Con subjuntivo: expresiones de valoración y las de constatación en forma negativa.
Es terrible que esta enfermedad no tenga cura.
No es verdad que el pelo, al cortarse, se haga más fuerte.

3. Con infinitivo: expresiones de valoración sin sujeto expreso (la oración se refiere en general a cualquiera).
Es malo hacer demasiado ejercicio después de comer.
Es un error intentar adelgazar muy rápidamente.

Unidad 5, página 73 y 77

▶ Las oraciones adverbiales

LAS ORACIONES DE MODO

1. Expresan la manera en que se realiza una acción. Van con el verbo en indicativo cuando se expresa una manera conocida o explicitada de hacer algo.
Voy a hacer esto como me has explicado, que me parece muy fácil.

2. Se utiliza con subjuntivo cuando expresan la forma futura de hacer algo, no conocida.
Lo haré como tú me digas. Así que explícame cómo quieres que lo haga.

3. También se usa con subjuntivo cuando es indiferente la forma de hacerlo.
Lo haré como tú digas, no me importa cómo.

Unidad 2, página 34

LAS ORACIONES CONCESIVAS

Aunque + indicativo: **1.** Se utiliza para presentar un obstáculo real. El hablante constata una objeción verificada:
Aunque la película es muy buena, nunca ganará un Goya.

Aunque + subjuntivo: **2.** Se utiliza para presentar un obstáculo posible o probable, pero no conocido: *No sé si es buena la película o no. Aunque lo sea, no quiero verla.*

3. O cuando el hablante expresa una acción todavía no realizada, un hecho hipotético:
Esperamos que vuelva a actuar en nuestra ciudad el Ballet de Cuba, aunque solo sea por unos días.

Unidad 3, página 48

Gramática

LAS ORACIONES CAUSALES

1. Las oraciones causales van con los verbos en indicativo y las expresiones causales más frecuentes son:
a. Porque: es la expresión causal más general y la oración causal suele ir después de la oración principal.
Comprar todo con tarjeta de crédito no es aconsejable porque los intereses son muy altos.
b. Como: se utiliza cuando la causa es conocida y la oración causal va antes que la oración principal.
Como no funciona, lo he traído.
c. Ya que y **puesto que:** se utilizan cuando la causa es evidente en el contexto, normalmente porque ya se ha dicho antes. **Ya que** se utiliza más en situaciones informales y **puesto que** en un lenguaje formal. La causa suele expresarse antes que la oración principal.
• *Me voy.*
• *Pues ya que te vas, saca la basura, por favor.*
d. Dado que y **debido a que:** se usan más en un lenguaje formal y la causa se expresa después de la oración principal.
La devolución del dinero es imposible debido a que el producto está dañado.
e. Que: se usa en la lengua hablada informal para justificar una orden y va detrás del verbo.
No me insistas, que ya te he dicho que no varias veces.

2. Cuando la causa está negada, es decir, cuando se explicita lo que no es la causa real de una acción, se utiliza el verbo en subjuntivo y se usa con la expresión **no porque**.
No lo hice no porque no quisiera, sino porque no pude.

Unidad 2, página 35

LAS ORACIONES CONDICIONALES DE DIFÍCIL REALIZACIÓN O HIPOTÉTICAS

1. Las oraciones condicionales con imperfecto de subjuntivo expresan condiciones que se consideran difíciles de cumplir o hipotéticas. Compáralas con las condicionales de presente, que expresan condiciones reales y posibles:
Si me toca la lotería, me iré a dar la vuelta al mundo (lo cree posible).
Si me tocara la lotería, me iría a dar la vuelta al mundo (lo cree poco probable).

2. A veces el uso de una u otra forma de condicional indica si la acción descrita es real o irreal:
Si es rico, no se nota (yo no sé si es rico, pero en todo caso no lo parece).
Si fuera rico, no vestiría ropa barata (yo sé que no es rico).

Unidad 5, página 76

OTROS CONECTORES CONDICIONALES

1. Por si (acaso): tiene valor causal e indica una situación hipotética, normalmente para tomar precauciones. Se usa con indicativo o con imperfecto de subjuntivo.
Llévate un jersey por si hace frío (más probable).
Llévate un jersey por si hiciera frío (menos probable).

2. Nexos de condición imprescindible para indicar que la condición debe cumplirse necesariamente o sin excepción: **siempre que, siempre y cuando, con tal de que, a condición de que**. Se usan frecuentemente para dar permiso con restricciones. No suelen expresar acciones hipotéticas, sino más bien reales.
Puede usted pasear un poco por la calle, siempre y cuando tenga mucho cuidado de no enfriarse.

3. Nexos de condición negativa: **salvo si** y **excepto si** con indicativo; **a no ser que** y **salvo que** con subjuntivo.
Sigue tomando estas pastillas, a no ser que desaparezca el dolor (si desaparece, entonces no tomes las pastillas).

Unidad 5, página 76

Gramática

LAS ORACIONES CONDICIONALES IRREALES DE PASADO

1. Se forma con **si** + pluscuamperfecto de subjuntivo, condicional compuesto.
Si lo hubiera sabido, no habría estado tan confiado.

2. Es una oración condicional irreal de pasado o «imposible», así llamada porque describe una hipótesis sobre el pasado, no un hecho real. Con estas oraciones condicionales de pasado, a menudo expresamos un lamento o arrepentimiento por lo que ocurrió y pensamos en las consecuencias si los hechos hubieran sido diferentes.

3. También se puede expresar la consecuencia con el pluscuamperfecto de subjuntivo (igual que en la oración subordinada).
Si lo hubiera sabido, no hubiera estado tan confiado.

Unidad 11, página 160

LAS ORACIONES TEMPORALES EN PASADO

Con indicativo

Cuando, mientras, en cuanto, una vez que, tan pronto como
Cuando en 1929 cayó la bolsa de Nueva York, la crisis se extendió por Europa.
Mientras la economía se basó en la agricultura, el desarrollo fue escaso.

Con infinitivo o con subjuntivo

Antes de (que) y **después de (que)**
Antes de que se implantara el euro, España podía devaluar su moneda.

Unidad 7, página 105

LAS ORACIONES TEMPORALES EN FUTURO

Cuando voy a Bolivia, visito a mis amigos (= siempre que voy, habitual).
Cuando vaya a Bolivia, visitaré a mis amigos (futuro).

Dentro de una narración en pasado, los hechos habituales se expresan en imperfecto de indicativo; los hechos futuros, con imperfecto de subjuntivo y condicional.

Cuando iba a Bolivia, visitaba a mis amigos.
Dije que, cuando fuera a Bolivia, visitaría a mis amigos y lo hice.

Unidad 8, página 118

LOS CONECTORES TEMPORALES

A medida que, siempre que/cada vez que, según, mientras

1. Seguidos de indicativo introducen acciones presentes o habituales.
A medida que llegan los atletas, reciben una botella de agua.
Mientras conduce, sigue hablando.

2. Seguidos de subjuntivo introducen acciones futuras.
A medida que lleguen, tenéis que dar a los atletas una botella de agua.
Mientras tenga fuerzas, seguiré trabajando.

Otros usos de **mientras**:
Yo le ayudé, mientras que los demás solo se rieron (adversativa).
Seguiré trabajando solo mientras me paguen bien (con subjuntivo tiene valor condicional).

Mientras tanto, al mismo tiempo que, en lo que + indicativo
Nada más + infinitivo
Nada más llegar, tenemos que encender la calefacción (= En cuanto lleguemos, tenemos que...).

Unidad 8, página 119

LAS ORACIONES CONSECUTIVAS

Las oraciones consecutivas van detrás de la oración principal, de la que están separadas por una coma, un punto o un punto y coma. Estas oraciones van en indicativo, excepto cuando usamos la locución **de ahí que**, que lleva subjuntivo.
No tenía tu teléfono; por eso no te llamé.
Vivió muchos años en Inglaterra; de ahí que sepa inglés.

Estas oraciones expresan una consecuencia y pueden ser:
1. La consecuencia de una cualidad: **tan... que**, **tanto que**.
Es tan *caro* que *casi nadie lo puede comprar.*
Corre tanto que *no lo alcanzo.*
2. La consecuencia de una cantidad: **tanto/a/os/as... que**.
Hay tanta *gente* que *es imposible entrar.*
Hay tantos *invitados* que *no tenemos suficiente comida para todos.*
3. La consecuencia por la manera de hacer algo: **de manera/modo/forma que**, **con lo que**, **por lo que**.
Se comportó muy educadamente, de manera que *creó muy buena impresión a todos.*
4. Una consecuencia lógica: **por (lo) tanto**, **en consecuencia**, **por consiguiente**, **por lo que** y **de ahí que**.
Sonó la alarma. De ahí que *se fuera corriendo.*

Unidad 9, página 132

LAS ORACIONES FINALES

1. Si el sujeto de la oración principal y el de la oración final es el mismo, se utiliza **para** + infinitivo.
Cambiaremos los materiales de construcción para hacer *(nosotros) ciudades más sostenibles.*

2. Cuando el sujeto de la oración principal y el de la subordinada son distintos, se usa **para que** + subjuntivo.
Los políticos cambiarán las leyes para que *los ciudadanos* respetemos *el medio ambiente.*

3. Otros conectores finales son:
- **A (que)**, solo con verbos de movimiento: *He venido* a que *me hagan un análisis* o *He venido* a *hacerme un chequeo médico.*
- **A fin de (que)**, **a efectos de (que)**, **con motivo de (que)**, **con (el) objeto de (que)**, **al objeto de (que)**, **con el fin de (que)**.
Con objeto de evitar atascos, abriremos dos carriles alternativos.

Unidad 9, página 133

4. EL ESTILO INDIRECTO

TRANSMITIR ÓRDENES EN PRESENTE

Repetir o insistir en una sugerencia o una orden:
Que + presente de subjuntivo.
• *Ven un momento.*   • *¿Cómo?*   • *Que vengas.*

Unidad 3, página 49

EL ESTILO INDIRECTO EN EL RELATO EN PASADO

Cuando reproducimos las palabras de otra persona en un relato pasado, debemos cambiar los tiempos verbales y ajustarlos al tiempo pasado. Observa los ejemplos y marca los cambios:

Periodista: «¿Hay una crisis en el mercado financiero?».

El periodista preguntó que si había una crisis en el mercado financiero.

Director del banco: «No hemos dado créditos a personas insolventes».

El director del banco afirmó que no habían dado créditos a personas insolventes.

Emprendedor: «Por favor, no me den lecciones de cómo gestionar mi empresa».

El emprendedor dijo que no le dieran lecciones de cómo gestionar su empresa.

Mujer: «Cuando por fin me den un microcrédito, podré abrir mi propio negocio y ganar dinero».

La mujer confirmó que, cuando le dieran un microcrédito, podría abrir su propio negocio.

Unidad 7, página 105

5. OTRAS CONSTRUCCIONES

LOS VERBOS CON PREPOSICIÓN

1. Algunos verbos van seguidos normalmente de la misma preposición: *enamorarse de, discutir con, depender de*.

2. Pero a veces está sobreentendido (*se ha enamorado*) o alguno puede llevar más de una preposición (*discutir de política, fútbol, dinero con alguien*).

Unidad 1, página 23

LAS PERÍFRASIS QUE INDICAN EL INICIO DE UNA ACCIÓN

Empezar a o **Comenzar a** + infinitivo
Indican el principio de una acción.
La gestión de riesgo de desastre empezó a funcionar hace unos años.

Ponerse a + infinitivo
Indica el principio de una acción voluntaria y repentina.
Los Gobiernos se pusieron a trabajar para prevenir futuros desastres.

Echarse a o **Romper a** + infinitivo
Indican el principio de un movimiento o reacción emocional y repentina.
Cuando estalló el volcán, nos echamos a correr como locas.

Soltarse a + infinitivo
Indica que se realiza por primera vez en su vida una acción.
El niño se soltó a andar al ver a sus padres.

Unidad 10, página 146

LAS PERÍFRASIS QUE INDICAN EL FINAL DE UNA ACCIÓN

Acabar de + infinitivo
Indica el final reciente de una acción.

Acaban de publicar un libro sobre el impacto de los fenómenos naturales en la economía.

Dejar de o **Cesar de** + infinitivo
Indican la interrupción de una acción.

El volcán ha dejado de escupir lava, por fin.

Llegar a + infinitivo
Indica la realización de una acción como un éxito.

CAPRA ha llegado a generar información preventiva muy útil.

Unidad 10, página 146

LAS PERÍFRASIS QUE INDICAN EL RESULTADO DE UNA ACCIÓN PREVIA

Estar + participio
Indica el resultado de una acción sin expresar el agente.
Los desastres están asociados al lugar que ocupan algunas comunidades.

Ser + participio
Indica el proceso pasivo y se puede indicar el agente.
La tecnología CAPRA ha sido desarrollada por expertos regionales.

Verse + participio
Indica el resultado involuntario de una acción y se expresa el agente.
Más de medio millón de personas se vieron afectadas por los desastres naturales.

Dar por + participio
Indica que una acción se considera finalizada, aunque no lo está completamente.
A falta de un informe detallado, se da por demostrado que los huracanes son los peligros mayores en el Caribe.

Unidad 10, página 146

Gramática

LOS VERBOS DE CAMBIO

Hacerse indica un cambio de profesión, estatus, ideología o nacionalidad.
Se hizo rico con un negocio de venta por Internet.

Volverse indica un cambio en el carácter o la personalidad, normalmente con sentido negativo.
Se ha vuelto muy egoísta desde que heredó.

Ponerse es un cambio temporal de estado físico o de ánimo.
Se puso furioso con ese comentario que hiciste.

Quedarse es un cambio que suele implicar una pérdida.
Se ha quedado muy delgado después de esa dieta.

Unidad 9, página 133

EL PARTICIPIO ABSOLUTO

1. Es una construcción equivalente a la oración de relativo. No hay verbo y se forma con un participio.
El estudiante, que estaba agotado por un largo examen, se fue a su casa = El estudiante, agotado por un largo examen, se fue a su casa.

2. También se utiliza en sustitución de la oración con **cuando**.
Cuando terminó la clase, los alumnos salieron en tropel = Terminada la clase, los alumnos salieron en tropel.

Unidad 11, página 161

LOS COMPARATIVOS IRREGULARES Y SUPERLATIVOS

1. Se expresa el superlativo relativo mediante la comparación el más/menos… de y ser el más/menos… de
(*el más rico de su país*); con la comparación de igualdad usamos igual de (*este coche es igual de rápido que este otro*).

2. Además de los comparativos irregulares que ya conoces (*bueno, mejor; malo, peor; grande, mayor; pequeño, menor*), existen otros, como *superior, anterior, posterior, inferior*. Los superlativos *óptimo, pésimo, máximo* y *mínimo* conviven con los irregulares *mejor, peor, mayor* y *menor*, y se emplean más en lenguajes especializados, como las ciencias o la economía.

3. La comparación también se puede expresar mediante prefijos superlativos *super-, extra-, re-, requete-, archi-, ultra-, mega-* o *hiper-*.

Super es el que más se emplea en la lengua coloquial: supermoderno.
Hiper valora la dimensión, es más que super, es más científico: hipertensión.
Archi es más culto: archiconocido.
Ultra es más propio del lenguaje científico: ultrasensible.

Asimismo, el sufijo *-ísimo* permite la formación del superlativo absoluto en adjetivos terminados en -ble con la forma -bilísimo: *amable*, amabilísimo.

4. Igualmente podemos emplear sufijos apreciativos: *-ón/-ona* (grandón, grandona, guapetón, guapetona), *-ajo/-aja* (pequeñajo, pequeñaja, chiquitajo, chiquitaja). En la lengua coloquial es común emplear el sufijo *-ón* para palabras femeninas cuando se quiere dar una nota muy expresiva: *subida*, subidón; *patada*, patadón.

Unidad 6, página 91

LAS CONSTRUCCIONES CON *LO*

Lo que y lo cual se emplean para referirse a algo que se acaba de decir.

- **Lo que** puede emplearse sin antecedente expreso. Se utiliza con indicativo y con subjuntivo.
Lo que quiero decir es que en Perú se puede comer bien en cualquier parte.

- **Lo cual** necesita antecedente. Introduce una información adicional. Se utiliza con indicativo.
No me refiero a la nueva cocina peruana, lo cual sería de esperar.

Unidad 12, página 174

Primera edición: 2015

© Edelsa Grupo Didascalia, S.A. Madrid, 2015.

Autores: Fernando Marín Arrese, Reyes Morales Gálvez, Mariano del Mazo de Unamuno.
Dirección y coordinación editorial: Departamento de Edición de Edelsa.
Diseño de cubierta: Departamento de Imagen de Edelsa.
Diseño y maquetación de interior: Departamento de Imagen de Edelsa.

Imprime: Egedsa.

ISBN: 978-84-9081-300-3
Depósito Legal: M-15798-2015

Impreso en España / *Printed in Spain*

Fotografías: thinkstockphotos.es